Les Cahiers
du Québec

Un patrimoine méprisé

La religion populaire des Québécois

Collection Ethnologie
dirigée par
Jean-Claude Dupont

Déjà parus dans
la même collection:

Ethnologie québécoise 1
En collaboration

Conrad Laforte
La chanson folklorique
et les écrivains du XIXe siècle,
en France et au Québec

John R. Porter et
Léopold Désy
Calvaires et
croix de chemins
du Québec

Habitation rurale
au Québec
En collaboration
sous la direction de Jean-Claude Dupont

Christian Morissonneau
La Terre promise:
Le mythe du Nord
québécois

Jean Simard
en collaboration avec
Jocelyne Milot et René Bouchard

Un patrimoine méprisé

La religion populaire des Québécois

Collection Ethnologie

Cahiers du Québec / Hurtubise HMH

Le Ministère des Affaires culturelles du Québec a accordé une subvention pour la publication de cet ouvrage

Maquette de la couverture:
Pierre Fleury

Éditions Hurtubise HMH, Ltée
7360, boulevard Newman
Cité de LaSalle, Québec
H8N 1X2

ISBN 2-89045-176-3

Dépôt légal / 2e trimestre 1979
Bibliothèque Nationale du Canada
Bibliothèque Nationale du Québec

Imprimé au Canada

À Benoît Lacroix,
initiateur et animateur enthousiaste
des études sur la religion populaire
des Québécois.

Ce livre est issu d'une série radiophonique sur la religion populaire des Québécois, *Le Matin de la fête*, présentée au réseau français de la radio de Radio-Canada durant l'été 1976. Cette série de quinze émissions, d'une demi-heure chacune, a été réalisée par Jean-Charles Déziel et animée par le Père Émile Legault. La transcription et la mise en forme pour la publication ont été faites par Jean Simard, en collaboration avec Jocelyne Milot et René Bouchard.

Table des matières

QUATRIÈME PARTIE: Voir, entendre et toucher

CINQUIÈME PARTIE: Retour au moyen âge

Avant-propos

Il y a quelques années, ce livre aurait été mal accueilli, autant par les catholiques réformistes que par les iconoclastes issus de la révolution technocratique des années soixante. Tantôt successivement, tantôt simultanément, se coalisant d'instinct, ces deux corps d'élite ont livré une lutte sans merci à l'ennemi numéro un de la collectivité canadienne-française: la religion populaire. Quel en a été le résultat? En vingt ans à peine, les séminaires, les noviciats et les couvents se sont vidés, des églises se sont vendues parce qu'elles n'avaient plus de curé et surtout plus de fidèles. Que s'est-il donc passé dans ce pays où rien ne devait changer?

Il est certain, d'une part, que la laïcisation récente du Québec n'a été qu'un des volets d'une mutation plus globale de notre société. Comme l'a déjà écrit Fernand Dumont, deux révolutions successives, l'une qui a pris son élan vers 1960 et qui a fait émerger le Québec de son moyen âge, et l'autre vers 1966, plus internationale, ont mis notre province à l'heure du monde occidental, c'est-à-dire à l'heure de l'affranchissement des tutelles traditionnelles: l'argent, le mariage, la bourgeoisie et surtout la religion. D'un autre côté, il n'est pas du tout certain que l'Église catholique n'a pas contribué elle-même, en dépossédant le peuple de sa religiosité, interdisant plus ou moins, de façon explicite ou implicite, le recours des camionneurs et des chauffeurs de taxi à saint Christophe, le saint patron des voyageurs récemment dégradé par les bollandistes, à l'accélération de ces changements. On sait que les travaux du dernier concile ont été marqués au coin d'un certain intellectualisme dont on trouve d'ailleurs les traces dans le dépouillement du décor des bâtiments et des cérémonies liturgiques, autant que dans le remplacement, sous forme d'épuration, des pratiques et des usages. Un jeune clergé «éclairé», admirablement secondé par une légion de militants laïcs, généralement aussi très scolarisés, mène une action efficace auprès d'un résidu de pratiquants qui se regroupent de plus en plus en communautés closes ou en assemblées de prières dont l'accès est plus ou moins réservé à ceux qui comprennent la nouvelle « vraie religion ». L'Esprit-Saint n'éclaire plus donc maintenant que 30 % des catholiques d'hier[1]. Comme on a du même coup enveloppé d'un mépris à peine voilé la récitation du chapelet, les processions de la Fête-Dieu, les images en dentelle, les miracles de la bonne sainte Anne et les services de première classe, les gens ordinaires se sont sentis un peu trahis par ceux-là mêmes qui les avaient tant incités à ces pratiques. Car dans le contexte d'hier, où l'Église catholique fournissait les seuls modèles rigides d'orthodoxie et d'orthopraxie, ces pratiques, vécues sur le mode d'une différence par rapport à la religion officielle et accusant ainsi par rapport à elle certains écarts, constituaient le fond même de ce que nous entendons ici par religion populaire.

« Le peuple se vengera », me disait récemment Benoît Lacroix quand j'évoquais avec lui la matière de ce livre. Il s'est certainement déjà vengé. Quittant une religion traditionnelle qui ne lui parlait plus, le peuple se sera désormais dispersé à travers les multiples formes synchrétiques de croyances, parfois aussi nouvelles qu'éphémères, issues souvent de pratiques sociales parareligieuses, comme en témoignent l'astrologie ou l'attrait des OVNI. Dans ces conditions, il paraît maintenant possible, sans blesser la sensibilité des élites, d'évoquer une nouvelle fois « la beauté du mort »[2] sous cette forme de recueil illustré d'archives de la religion populaire de notre société traditionnelle. On ne s'y trompera donc pas. Ce recueil ne vise pas plus à faire le plaidoyer du traditionalisme que celui du « populisme ». Il n'a d'autre objet que de tirer du mépris le plus général ce patrimoine collectif, de la même façon que nous venons de le faire pour la statue de Duplessis, même s'il n'y a plus guère aujourd'hui de duplessistes.

Plusieurs personnes ont participé à l'élaboration de ce livre et je voudrais les remercier toutes: tout d'abord Jean-Charles Déziel et le Père Emile Legault qui ont respectivement conçu et animé la série radiophonique; les treize autres collaborateurs dont les noms paraissent à la fin du volume, qui, en plus de nous avoir fait béné-

---

(1) Le problème se retrouve, semble-t-il, à l'échelle des pays catholiques. En France, plus particulièrement, la question de cette rupture entre l'Église et le peuple est brûlante d'actualité et se pose en des termes peut-être encore plus vifs qu'ici. Il faut lire, parmi une production récente déjà très abondante, les propos dénonciateurs que le sociologue dominicain Serge Bonnet a tenus sur cette question dans son livre *Prières secrètes des Français d'aujourd'hui*. Paris, Cerf, 1976.

(2) Selon l'expression qu'utilise Michel de Certeau pour désigner le folklore, né comme science au milieu du XIXe siècle sur les ruines mêmes de son objet: la tradition populaire. Michel de Certeau, Dominique Julia et Jacques Revel, « La beauté du mort », in Michel de Certeau, *La culture au pluriel*, Paris, Union générale d'éditions, coll. 10/18, 1974.

ficier de leur savoir, ont encore accepté de reviser le texte de leur entrevue; Jocelyne Milot et René Bouchard qui ont consacré tant d'heures à transcrire, émonder et polir le texte, préparer l'iconographie, la table des illustrations, la bibliographie et les notices biographiques; Thérèse et Odette Métayer enfin qui ont dactylographié le manuscrit final avec tout le savoir-faire qu'on leur connaît.

Pendant que nous préparions ce livre, la mort nous enlevait l'un de nos plus précieux collaborateurs, Pierre Gravel, prédicateur populaire et ancien curé de Boischatel, décédé le 29 août 1977.

J.S.

Introduction

Les archives de la religion populaire

Introduction

Les archives de la religion populaire

Jean Simard

Emile Legault: Jean Simard, parlez-nous de vos recherches sur la religion populaire.

Jean Simard : Ce sont des recherches qui se déroulent en très grande partie sur le terrain. Comme quelques-uns le savent, à Laval nous nous définissons comme des ethnologues spécialisés dans le domaine des arts et des traditions populaires des Canadiens français et nos archives, contrairement à celles des historiens, ne sont pas écrites. Il y a d'ailleurs toutes sortes d'archives. Le monument est une pièce d'archive. Les gens eux-mêmes sont des archives quand on sait leur faire raconter leur passé ou leur présent, mais à partir de questions spécifiques. Les enquêtes que nous menons sur le terrain auprès d'informateurs et auprès d'objets constituent pour nous autant d'archives du peuple.

Emile Legault: Et on peut dire, bien qu'il ne soit pas encore très âgé, que votre grand ancêtre spirituel et intellectuel, c'est Luc Lacourcière.

Jean Simard: Oui. Monsieur Lacourcière a fondé les Archives de folklore de Laval dès 1944. Son entreprise avait été encouragée dès ce moment par Marius Barbeau et Félix-Antoine Savard qui pratiquaient depuis longtemps déjà l'enquête sur le terrain. Cette équipe de pionniers a donné les fondements principaux aux archives de la parole et du geste que constitue aujourd'hui le Centre d'études sur la langue, les arts et les traditions populaires (CELAT) qui a succédé aux Archives de folklore.

Emile Legault: Alors, dans cette perspective vous allez nous parler, ce matin, des croix de chemin, en tant qu'archives de la religion populaire des Québécois.

Jean Simard: Oui. Je vous ai dit que nous avions comme archives des informateurs et des documents matériels, et non des archives

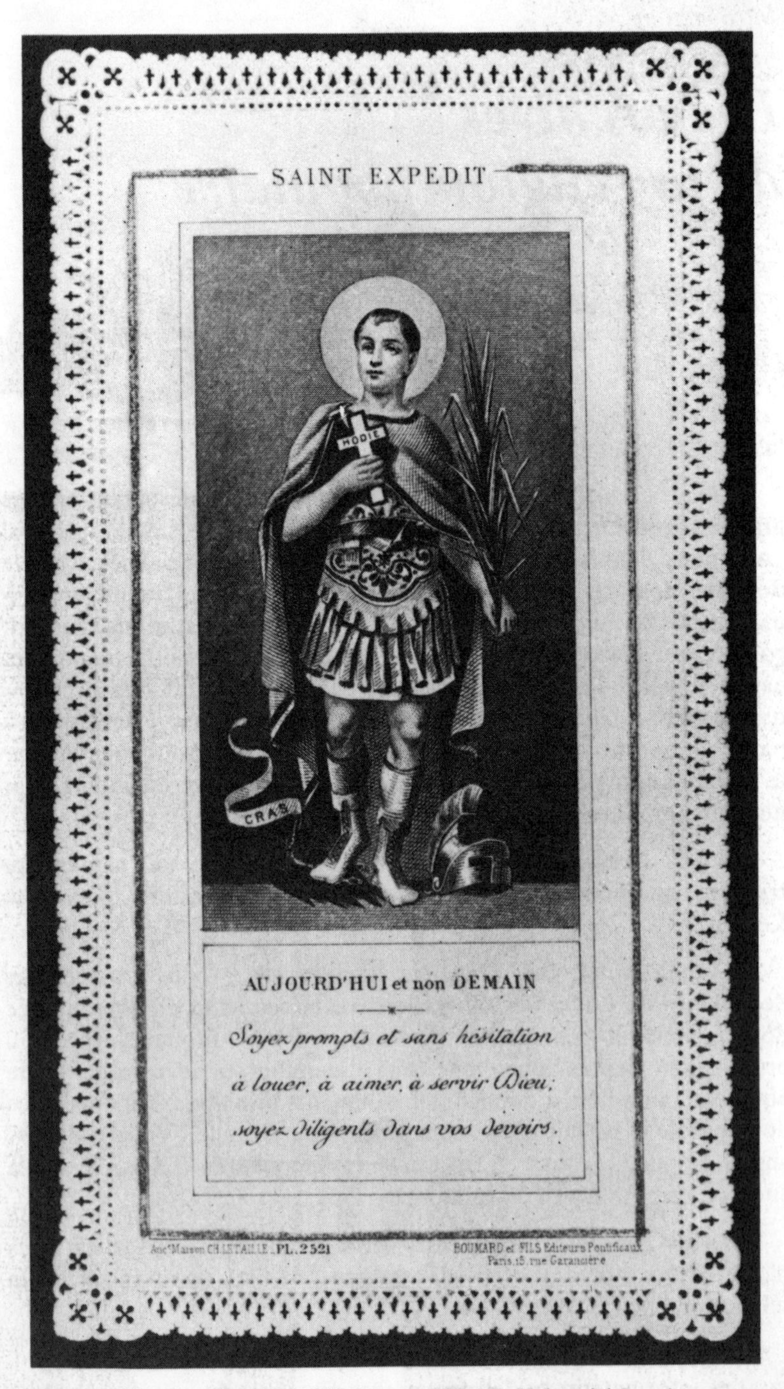

Ill. 1. Saint Expédit. Fonds Villeneuve, CELAT, Université Laval.

Ill. 2. Croix Joseph Bédard. Sainte-Marie, 1933.

écrites. Pour qui s'intéresse à la religion populaire, les seules archives vraiment sérieuses, ce sont des témoignages d'informateurs, des objets, qui peuvent être des images de piété, par exemple, objets très dévalorisés en général mais que l'on commence de plus en plus à reconsidérer. À partir du moment où se développent les sciences humaines de la religion, c'est-à-dire que des sociologues, des anthropologues, des ethnologues et des historiens s'intéressent à la religion, ces objets, témoins matériels de la religion quotidienne du peuple, prennent beaucoup de valeur. Les croix de chemin sont peut-être, actuellement, le plus bel ensemble d'archives de la religion populaire.

Emile Legault: Avez-vous une idée du nombre de croix de chemin qui existent encore?

Jean Simard: Oui. Depuis cinq ans que nous inventorions les croix de chemin du Québec, nous en avons à peu près recueilli 2,800.

Emile Legault: Est-ce qu'on a conservé, à quelques endroits, l'habitude de se grouper autour de la croix de chemin pour faire le mois de Marie, par exemple?

Ill. 3. *Le Mois de Marie*. Peinture à l'huile de Blanche Bolduc, Baie-Saint-Paul, 1975.

Jean Simard: Le mois de Marie était certainement la pratique collective la plus répandue autour de la croix de chemin. La croix remplaçait l'église; c'était plus facile, ça se faisait dans l'intimité, un peu en famille, à l'intérieur du rang. Aujourd'hui, évidemment, c'est rare. Il y a des cas cependant. À Saint-Jean de l'Ile d'Orléans, encore l'année dernière ou, en tout cas, jusqu'à l'an dernier, on faisait la prière au pied de la croix de chemin les soirs de mai à l'occasion du mois de Marie. Mais les gens ont souvent arrêté cela et pas toujours pour des raisons idéologiques. Souvent, ils disent: « C'est parce qu'il y a trop de machines, c'est dangereux, on risque de se faire frapper. » Et dans le cas de Saint-Jean de l'Ile d'Orléans, c'est très caractéristique parce que la croix est située dans une partie de l'ancien chemin qui n'est plus utilisé; on a fait un nouveau chemin à côté et il n'y a plus de danger. On peut donc aller prier facilement à la croix; à cet endroit, la tradition se continue. Mais je crois que c'est quand même un phénomène un petit peu marginal.

Emile Legault: Vous m'avez étonné tout à l'heure, alors que nous causions un peu du sujet, avant l'émission, en me disant que ces croix étaient non pas d'origine ecclésiastique, paroissiale, mais une initiative individuelle ou d'une famille.

Jean Simard: C'est pourquoi elles nous intéressent tellement. C'est que véritablement elles sont une émanation directe de la culture populaire et en ce sens on peut dire que ce sont des archives absolument sûres de la religion populaire. Je dirais qu'il y a, en gros, deux sortes de croix et de calvaires. La croix de chemin est un vocable à portée sociale ou coutumière et elle est faite pour le voyageur. Le calvaire quant à lui est plutôt une émanation de la culture ecclésiastique. C'est une croix avec, dessus, un corpus du Christ, les larrons à côté ou Marie-Madeleine au pied de la croix. Le plus souvent, ce sont des maîtres-sculpteurs qui ont fabriqué ces calvaires ou ce sont des calvaires tout modernes, coulés ou moulés dans le plâtre. On a remarqué que les croix de chemin sont d'origine privée; ce sont les cultivateurs qui les érigent et le clergé n'intervient jamais. Il intervient lorsque le propriétaire qui vient d'ériger une croix lui demande de la bénir. On retrouve parfois des notes dans les archives paroissiales qui signifient cette chose mais sans plus. Le clergé ne prend jamais d'initiative; c'est toujours le peuple qui érige ces croix. Mais on ne peut pas dire pour autant, a priori, qu'il y a une méfiance du clergé à l'égard de ces croix bien que, une fois ou deux, on ait remarqué des jugements d'évêques.

Ill. 4. Croix Émile Lacasse. Saint-Honoré, 1948.

Emile Legault: Pourquoi?

Jean Simard: Au début du XIXe et du XXe siècles, Monseigneur Plessis et le cardinal Villeneuve avaient envoyé une lettre à leurs curés pour leur demander de voir à ce que les gens construisent de belles croix, avec un Christ et non pas avec ces outils de la passion qui sont des symboles païens. Les évêques interviennent donc discrètement auprès de leurs curés, mais jamais directement auprès de leurs ouailles. Il faut dire que les évêques avaient raison. Les symboles qu'il y a sur la croix sont d'origine païenne le plus souvent, d'origine cosmographique, et ils ont été interprétés par le christianisme.

Emile Legault: Quels sont ces objets en général?

Jean Simard: Ce sont les objets qui ont servi à la crucifixion. Le plus souvent, la lance qui a percé le côté et qui va faire pendant à l'éponge qui a servi à faire respirer le vinaigre au crucifié. On trouvera aussi la couronne d'épines et le coq du reniement de saint Pierre. Certains ont déjà dit que c'était le coq gaulois; il n'est pas impossible qu'il y ait des rapports mais c'est, avant tout, le coq du reniement de saint Pierre, parce que le Christ avait dit: « Avant que le coq ne chante deux fois, tu m'auras renié trois fois». C'est vraiment un symbole de la Passion.

Emile Legault: Je ne comprends pas. Vous dites que ce sont des instruments d'origine païenne.

Jean Simard: Oui. Il semble que certains symboles, comme le soleil par exemple, que l'on retrouve fréquemment sur les croix de chemin, soient d'origine païenne, parce que dans l'antiquité, comme chacun le sait, on déifiait le soleil de même que les astres.

Ill. 5. Croix Rosaire Roy. Saint-Georges Ouest, rénovée en 1968.

Ainsi, le jour de Noël et le choix de sa date sont en parfaite continuité avec la tradition païenne parce que la fête du soleil était le 25 décembre. On a conservé cette date comme étant celle de la naissance de Jésus, parce qu'à l'époque du changement, on n'a pas voulu heurter les consciences, on a voulu conserver les habitudes. Il en va de même pour certains instruments de la Passion, non pas comme ceux dont j'ai parlé mais comme le soleil et la lune. Qu'est-ce que c'est? Certains, des spécialistes, des théologiens, diront que le soleil symbolise l'Église et la lune, la Synagogue. Pourquoi? Parce que la Synagogue n'est qu'un reflet de l'Église qui est le soleil. C'est une interprétation savante de la chose, parce qu'on a interrogé des informateurs qui disent que c'est plutôt parce que Dieu a créé le monde; Dieu a créé les astres, la lune, le soleil. Finalement, on ne le sait pas trop, mais on sent bien que tout ça est issu de l'iconographie pré-chrétienne ou païenne, parce que dans l'antiquité on retrouve fréquemment ces symboles qui sont rattachés aux divinités.

Emile Legault: Mais l'intention première de celui qui érigeait une croix, est-ce que ce n'était pas d'honorer la Passion du Christ?

Jean Simard: Oui. C'était d'honorer la Passion du Christ, mais c'était aussi une précaution pour que les choses aillent bien.

Emile Legault: Alors, M. Simard, quelle est la réaction de ceux que vous rencontrez, les propriétaires de croix de chemin, devant l'intérêt que vous prêtez à cette chose?

Jean Simard: Les gens sont un petit peu étonnés évidemment de voir ces jeunes qui s'arrêtent à des croix, font des photos, interrogent sur les pratiques religieuses et les origines. On construit beaucoup moins de croix depuis vingt-cinq ans et l'année de la dernière vague d'érection de croix remonte à 1954, à l'occasion de l'année mariale. Mais de voir des jeunes qui s'intéressent aux croix, ç'a un effet bénéfique pour leur conservation. On n'a pas été sans remarquer à plusieurs reprises qu'après avoir fait des recherches et parlé aux gens, on trouve en retournant dans le rang, une semaine après, la croix repeinte ou réparée si elle était chancelante. Ça revalorise l'objet, ça redonne confiance aux gens et ça leur donne aussi l'idée d'entretenir leur croix; ils ne cachent pas d'ailleurs que ça leur donne une certaine fierté d'avoir un tel monument en face de leur maison.

Emile Legault: Est-ce qu'il vous est arrivé de découvrir dans la parlure populaire des expressions de foi vraiment vécue qui aient inspiré la construction ou la conservation de la croix, ou si c'est une chose purement folklorique?

Ill. 6. Croix Berthelet. Turgeon, Labelle.

Jean Simard : Je dirais que ce n'est pas, au sens où vous l'entendez, purement folklorique. Évidemment, c'est de tradition, parce que depuis le XVIIIe siècle, c'est-à-dire depuis la naissance connue de ce phénomène, les croix n'ont pas beaucoup changé. Les intentions n'ont pas beaucoup varié et, en général, elles sont assez précises. Il y a d'abord les intentions pour les biens de la terre. Il faut dire que c'est un phénomène qui est très lié à l'agriculture, parce que dans les régions de pêcheurs, de chasseurs ou de forestiers, on retrouve très peu de croix, ou, quand il y en a, elles sont peu ornées. Mais intervenaient aussi des raisons de guérison; on demandait, par exemple, des guérisons et on promettait, en retour, d'ériger une croix. Ou encore on érigeait la croix en demandant, un petit peu comme une monnaie d'échange, d'être guéri du cancer ou de n'importe quoi. Dans ces cas-là on peut parler de croix votives, de croix qui ont été érigées à la suite d'une promesse ou pour préparer une promesse. Un de mes collègues, Bernard Genest, a fait une enquête complète dans le comté de Portneuf et il a publié récemment les résultats de ce travail. Il a observé que sur quatre-vingts croix du comté, une quinzaine étaient des croix dites votives, c'est-à-dire érigées à la suite de vœux. Le premier consistait à remercier pour des biens matériels comme, par exemple, une transaction, une bonne vente de terre ou quelque chose du genre. C'est un type d'ex-voto mais ce n'est pas le plus populaire. En deuxième lieu, c'est la guérison, c'est ce qui revient le plus souvent. C'est d'ailleurs en parfaite continuité avec la religion, parce que le Christ est encore perçu par le peuple chrétien comme étant une manière de se protéger, de se guérir. La troisième raison, elle est un peu plus spirituelle. Par exemple, dans Portneuf, une croix monumentale a été érigée pour remercier Dieu d'avoir donné un prêtre à la famille. Au pied de la croix, on remarque une grosse inscription qui dit à peu près ceci: « Remerciements pour avoir donné un prêtre de Jésus-Christ. » La quatrième sorte de croix votive pourrait être appelée la croix de guerre; ce sont des croix anti-conscriptionnistes qui ont été érigées pour que le fils n'aille pas au front. Cela s'est fait surtout en 1918, parce qu'il y a eu la loi du service obligatoire en Europe et, comme on le sait, les Canadiens français s'y sont opposés. Des chefs politiques aussi s'y sont opposés, parce qu'on prétendait que c'était aller défendre un peuple étranger en terre étrangère. La croix a donc été choisie un peu comme un symbole ou comme un bouclier. À cette époque, le jeune pouvait se sauver facilement dans les bois environnants et plusieurs fils se sont sauvés en promettant que, s'ils n'étaient jamais pris, ils érigeraient une croix à la fin de la guerre. Dans plusieurs cas, cela a été fait. Sur une quinzaine de croix votives, il y en a quatre ou cinq qui ont été élevées pour cette raison. Ce qui est curieux c'est que, après la guerre, les gens ont construit la croix pour accomplir leur vœu, mais ils ont aussi continué de l'entretenir parce qu'ils se sont sentis liés à ce vœu jusqu'à la fin de leurs jours.

Emile Legault: Vous m'étonniez tout à l'heure en me disant que dans la région de Montréal on retrouve encore beaucoup de croix de chemin. De mémoire, je n'en vois pas beaucoup, moi.

Jean Simard: C'est évident que sur l'île de Montréal beaucoup d'entre elles ont été rasées par la voirie à mesure que la ville grandissait. Mais, en plein cœur de Montréal, il en reste encore deux ou trois. L'une est située boulevard Jean-Talon et on ne sait même plus à qui elle appartient. Il y en a une autre aussi sur Pie IX, pas très loin du Jardin Botanique. Mais je voulais dire que c'est dans la vaste région de Montréal que les croix sont les mieux décorées. Elles ont aussi été autrefois les plus nombreuses. Si on quitte Montréal pour aller une cinquantaine de milles au nord vers Saint-Jérôme, Sainte-Adèle, on trouve de nombreuses croix de chemin, les plus belles probablement.

Emile Legault: Il y a une question que j'aurais dû vous poser dès le départ de notre conversation, parce qu'elle touche à l'ensemble de votre programme. Les enquêtes d'ethnologues sur le terrain sont encore valables parce que, selon vous, nous avons deux racines, nous sommes enracinés par la langue et la religion. Même si la pratique a baissé sensiblement, les gens ont donc gardé, malgré tout, un vieux fond chrétien insoupçonné?

Jean Simard: L'ethnologue s'intéresse à l'étude des mentalités et, pour vraiment faire l'étude de la mentalité du peuple québécois, il doit interroger au moins d'une façon équivalente la langue et la religion. Il ne faut pas négliger le fait que ce qui nous distingue dans cette Amérique du Nord, c'est que nous soyons francophones et catholiques, ou, du moins, d'origine catholique. Chacun sait que les gens ont abandonné en grande partie la pratique religieuse et il y a peut-être 30% des gens qui pratiquaient autrefois et qui le font toujours. Les autres vont parfois à la messe dominicale, mais ils vont presque toujours à la messe de minuit parce que c'est en continuité avec leur enfance. Pour eux, c'est une image. On voit par certains signes comme celui-là que la religion, dans notre culture, c'est encore quelque chose de vivant; non pas de la même manière qu'autrefois, mais c'est encore un élément de notre culture qui est fondamental et sans lequel on ne pourrait pas expliquer la mentali-

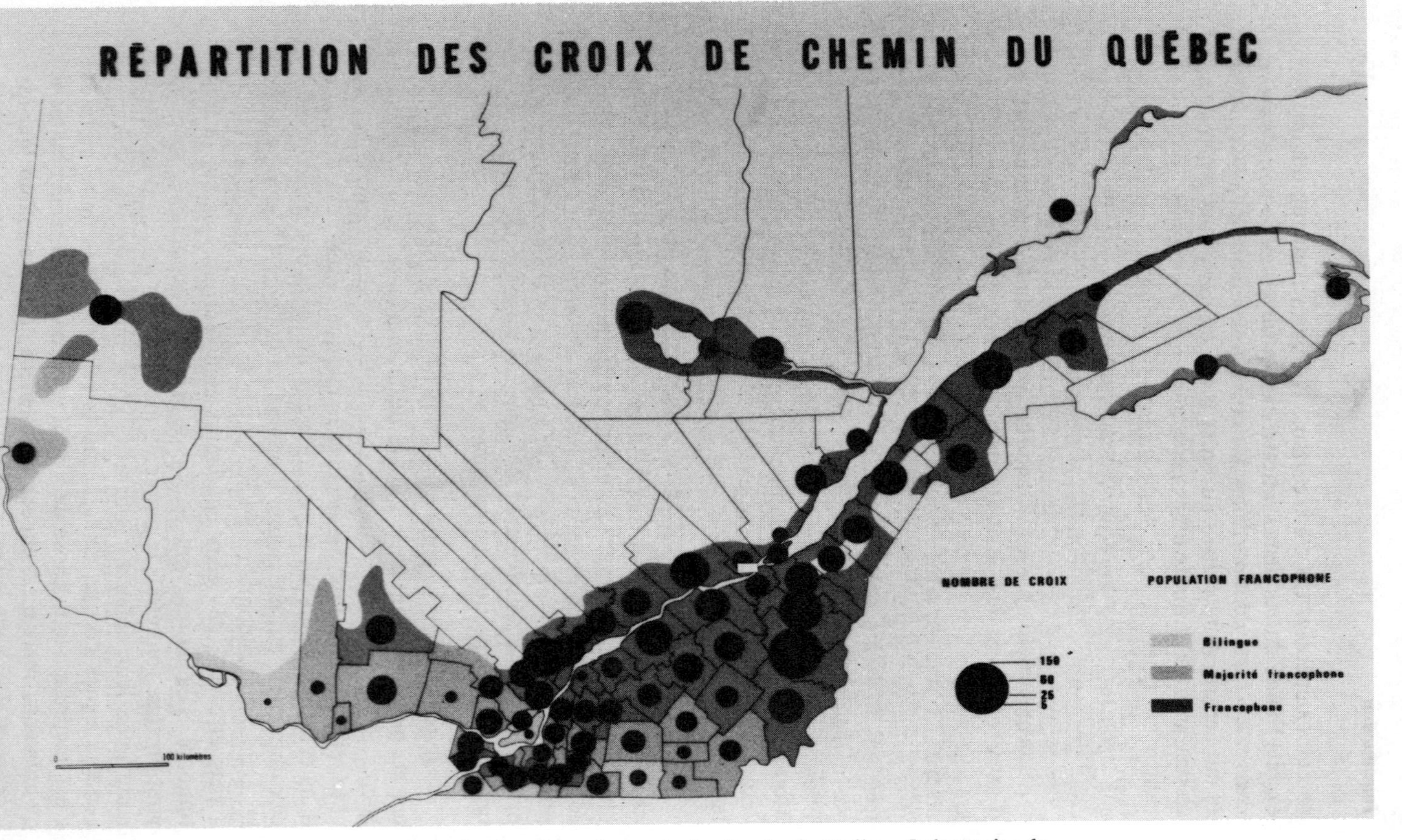

Ill. 7. Carte de répartition des croix de chemin du Québec. Laboratoire de cartographie. Université Laval.

té des Québécois. Ça c'est certain. On verra d'ailleurs clairement établie l'unité de ces deux caractéristiques majeures de notre culture dans une « carte de répartition des croix de chemin du Québec » que je suis en train de mettre au point à l'occasion d'une publication. Cette carte montrera que la masse des croix de chemin se situe au centre du Québec, dans les quarante-six comtés ruraux de l'axe laurentien, où vit la population traditionnellement francophone et catholique. En revanche, les croix sont très clairsemées dans les vingt-quatre autres comtés ruraux où se trouve la minorité ethnique, à la périphérie du Québec, à ses frontières même, surtout en Estrie, à proximité donc de la mer anglophone et protestante.

Emile Legault: Par ailleurs, j'ai souvent constaté chez les gens qui se disent non pratiquants, qu'ils sont profondément croyants. Ça se rattachera probablement à une expression culturelle un peu plus tard mais, pour l'instant, ils sont encore très sensibilisés au phénomène religieux.

Jean Simard: On se rend compte que, si la dimension théologique a changé, la dimension culturelle est toujours à peu près la même, c'est-à-dire que c'est profondément ancré dans notre vie quotidienne. On le voit même par la langue; les gens disent: « Mon doux Seigneur! » « Mon Dieu Seigneur! » Il n'y a pas d'autre peuple au monde qui invoque aussi souvent dans une journée Dieu et les saints qu'un Québécois.

Emile Legault: Bien. Puisque vous êtes notre homme ressource numéro un, faites-nous donc, en gros, une sorte de survol des thèmes que nous traiterons au cours de l'été.

Jean Simard: D'abord, je dirai que les participants à cette émission sont, mis à part quelques collègues, des étudiants qui font, sous ma direction, des thèses portant sur la religion populaire. Ils sont une douzaine à travailler sur des sujets très variés. Ainsi, René Bouchard va parler notamment de Notre-Dame du Cap et des rapports entre les « miraculés » ou les dits « miraculés » et l'administration du sanctuaire. On verra quelle est la mesure de sensibilité du peuple par rapport à une vaste entreprise comme celle de Notre-Dame du Cap. Il sera question également des objets de piété avec Pierre Lessard qui fait une thèse portant sur la fonction de l'imagerie de piété et son utilisation. Les images, on en compte environ 35,000 dans notre centre de recherche.

Emile Legault: C'est probablement une des collections les plus complètes qui existe au monde.

Ill. 8a) Croix anonyme. Saints-Anges, Beauce.

Ill. 8b) Détail : la niche.

Jean Simard: C'est en effet une des collections les plus complètes au monde. J'en connais une à Bruxelles chez les Pères Bollandistes. Elle concerne l'histoire des saints depuis le XVIIe siècle. Ils ont acquis, par un appel au public, en Belgique, une collection de 30,000 images de saints. Cette collection est spécialisée, ce qui fait que nous en avons davantage. La nôtre est probablement une des collections les plus riches au monde dans ce genre de documents. Donc, Pierre Lessard s'intéresse à l'image et au geste que l'on fait avec elle. Ce qui est représenté dans l'image est intéressant, mais c'est peut-être le fruit du discours ecclésiastique, donc savant, de la religion. On sait, par exemple, que des images ont été collées à la crosse des fusils par les gens qui allaient à la guerre et c'était pour se protéger; l'image du Sacré-Cœur, notamment. D'autres images étaient portées à la place du cœur, collées avec du ruban gommé et alors la personne avait l'impression que ça la protégerait contre l'agresseur. Pierre Lessard parlera justement des fonctions et des utilisations de ces petites images de piété et il nous fera entendre également le témoignage du curé Pierre Gravel.

Emile Legault: Est-ce qu'il fera une étude de ce qu'on pourrait appeler le relatif mauvais goût de certaines images?

Jean Simard: Je ne pense pas, a priori, qu'il en soit question, mais c'est évident qu'il y a une progression dans la figuration des thèmes. Nous avons, par exemple, des gravures en taille-douce, du XVIIIe siècle, provenant de France et qui sont de très belles choses. Lorsque les images imprimées de la fin du XIXe et surtout du XXe siècles arrivent, c'est vraiment de la mièvrerie au plan artistique. Il n'est plus question d'art et c'est pourquoi on s'intéressera peu à cet aspect. On interrogera surtout l'aspect de la religion vécue et de l'utilisation de l'objet. Jocelyne Milot, elle, parlera des ex-voto marins reliés à la dévotion à sainte Anne, à Sainte-Anne de Beaupré notamment. Paul Jacob traitera de la dévotion des Beaucerons, à la suite d'enquêtes faites récemment. Il a un fichier très volumineux et il va énumérer toutes les petites dévotions qui ne sont pas nécessairement des dévotions cléricales, mais qui sont très présentes dans la vie quotidienne des Beaucerons. Marie-Marthe Brault, une de nos amies de Montréal, nous parlera de l'Oratoire Saint-Joseph et du Frère André de même que de Monsieur Armand, guérisseur. Nive Voisine, du Département d'histoire, fera état des campagnes de tempérance au XIXe siècle, alors que Jean Du Berger, un autre collègue, traitera du diable dans la tradition populaire. Jean-Claude Dupont montrera pour sa part que les gens du peuple, s'ils sont très sensibles au sacré, ne font pas moins là-dessus des plaisanteries... assez osées. Quant à Jean-Claude Filteau, de la Faculté de théologie, il nous entretiendra, avec le concours du Frère Gérard Gagnon, du phénomène de la quête en milieu populaire. Enfin, Nicole Guilbault nous dira quel thaumaturge fut le Père Frédéric et l'impact qu'il eut sur la mentalité québécoise.

Emile Legault: C'est très intéressant. Mais croyez-vous qu'en faisant ces études révélant notre âme profonde, vous allez contribuer à nous donner une dimension que nous avons perdue, c'est-à-dire dont nous ne sommes pas très conscients. Je parle de dimension ethnique, dimension culturelle, dimension humaine.

Jean Simard: Je pense que le rôle d'un ethnologue, c'est justement d'objectiver sa culture en prenant ses distances par rapport à ses origines et par rapport à son propre monde, afin d'arriver à en donner une vue nouvelle. C'est évidemment notre objectif général que d'essayer de restituer un peu le sens des choses.

Emile Legault: Ce qui m'angoisse actuellement, c'est de voir que, chez certaines personnes, il y a comme une sorte d'amnésie à peu près totale vis-à-vis de leurs racines.

Jean Simard : Absolument. Ce qui fait toute la valeur de la tradition, c'est de pouvoir s'y appuyer pour continuer à progresser dans une certaine direction...

Première partie

Chez les Beaucerons

Chapitre premier

Calvaires et croix de chemin en Beauce

René Bouchard

Emile Legault: Nous allons parler ce matin des croix et des calvaires de la Beauce avec René Bouchard. C'est un thème que vous avez beaucoup travaillé. Mais on va d'abord parler de la Beauce physique et, ensuite, de l'homme beauceron, de la femme beauceronne, avant de passer à la question des croix.

René Bouchard: C'est une région qui m'a frappé par sa grande unité physique, mais les Beaucerons m'ont aussi frappé par leur grande cohésion culturelle. En étudiant le mini-corpus des croix et calvaires de la Beauce, j'ai fini par la considérer un peu comme une région type à travers tout le domaine québécois.

Emile Legault: Parce que, en fait, la Beauce constitue un lieu géographique et ethnologique particulier et très caractérisé.

René Bouchard: Tout à fait. Les Beaucerons sont assez exemplaires dans leur manière de vivre, par la qualité de vie qui peut se dégager d'eux. Si on la présente physiquement, la Beauce c'est une vallée façonnée par la Chaudière. Cette vallée s'étend, grosso modo, de Scott, un village situé à une vingtaine de milles de Québec sur la rive sud, jusqu'au Maine. C'est à peu près la Beauce avec ses villages, Scott, Sainte-Marie, Saint-Joseph, etc., et de l'autre côté, Saint-Séverin, East Broughton, Saint-Victor-de-Tring, etc. On se retrouve ainsi avec deux divisions géographiques principales, la « Vallée » qui suit la rivière proprement dite et les « Montées », terres qui surplombent celles de la « Vallée ». La colonisation de la Beauce s'est d'abord faite, évidemment, le long de la Chaudière. Les gens sont ensuite remontés progressivement vers l'intérieur des terres.

Emile Legault: Est-il possible de tracer le visage du Beauceron moyen?

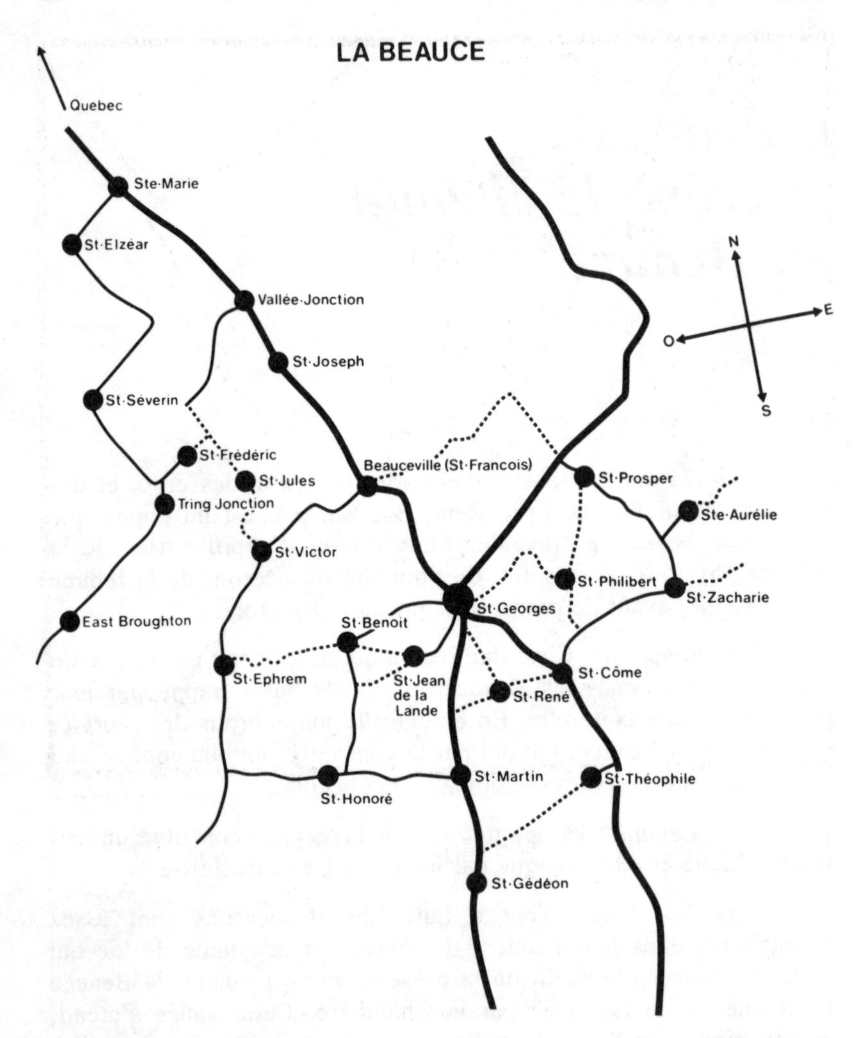

Ill. 9a. Carte géographique de la Beauce. D'après Maurice Lorent, *Le parler populaire de la Beauce*, Leméac, 1977, p. 13.

René Bouchard: De typer le Beauceron ? Je vais emprunter à Madeleine Ferron et Robert Cliche l'excellente description qu'ils en ont faite, car je ne pourrais faire mieux qu'eux. Voici ce qu'ils en disent dans leur livre *Les Beaucerons ces insoumis* :

> « Nous avons découvert des hommes durs au travail comme au plaisir, joyeux mais batailleurs, tolérants mais vaniteux, indépendants, libres mais de courte vue. Et des femmes costaudes, fomenteuses de troubles en période critique, génitrices courageuses, participant aux

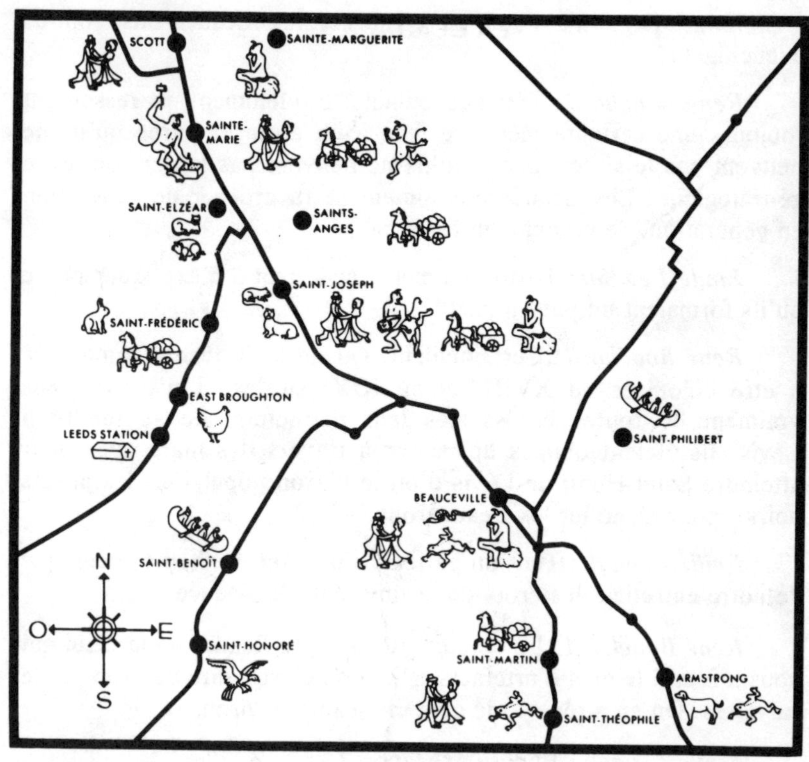

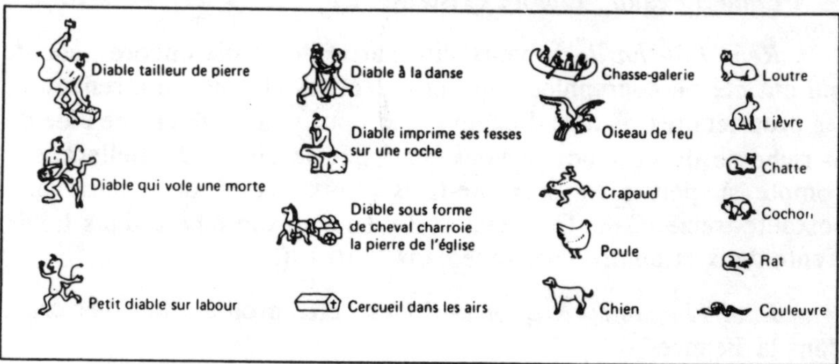

Ill. 9b. Carte légendaire de la Beauce. D'après Jean-Claude Dupont, *Le légendaire de la Beauce*, Garneau, 1974.

réjouissances comme au travail, pratiquant avec beaucoup de vigueur l'égalité des sexes. » (p. 139)

Je pense que c'est là, décrite et ramassée d'une façon assez extraordinaire, toute la vitalité beauceronne.

Emile Legault: Pour un étranger, les Beaucerons sont-ils accueillants ?

René Bouchard: Très accueillants. Évidemment, ils ressentent toujours une certaine méfiance face à un étranger parce qu'ils ne peuvent pas le situer, parce qu'ils ne peuvent pas tracer son arbre généalogique. Les Beaucerons aiment se raccrocher de génération en génération, de branche en branche.

Emile Legault: Historiquement, cela peut-il s'expliquer parce qu'ils formaient un pays à part ?

René Bouchard: Certainement. Quand la Beauce a commencé à être colonisée au XVIIIe et au XIXe siècles, il n'y avait pas vraiment de routes carossables leur permettant de se rendre à Lévis. Ils étaient obligés de passer à travers des marécages pour atteindre Saint-Henri-de-Lévis d'où le blason populaire « les jarrets noirs » pour identifier les Beaucerons.

Emile Legault: Peut-on parler maintenant du thème spécifique de notre entretien, les croix de chemin dans la Beauce ?

René Bouchard: Le comté municipal de Beauce a été celui qui nous a fourni le plus d'artefacts religieux, c'est-à-dire de croix et de calvaires. On en a répertorié cent cinquante environ.

Emile Legault: Encore existantes ?

René Bouchard: Je veux dire par là des croix encore debout, qui ont été photographiées, qu'on a décrites et dont on a rencontré les propriétaires. À titre d'exemple, et pour vous donner une idée de la richesse de ce coin, je vous dirai que le comté de Bellechasse compte à peu près soixante-trois croix, celui de Charlevoix, soixante-treize. Dans Dorchester, il y en a soixante-huit, dans Lévis trente-deux et quatre-vingt-une dans Portneuf.

Emile Legault: À quoi attribuer cette prolifération des croix dans la Beauce ?

René Bouchard: Je pense que le Beauceron, s'il est bien vivant, est aussi très religieux. C'est peut-être dû aussi au fait de son isolement, qui l'a obligé à se débrouiller et aussi, peut-être, parce que l'on est dans une société rurale dont les activités sont reliées à la terre. Tout le monde ne pouvant se rendre à la messe, la présence religieuse a pu se manifester par une dévotion à la croix.

Bien souvent on s'aperçoit que ces croix ont été érigées pour demander des biens temporels, comme le succès dans les affaires...

Ill. 10. Croix Nazaire Roy. Saint-Benoît-Labre, 1973.

Ill. 11. Croix Marcel Labbé. Saint-Joseph, 1974.

Ill. 12. Croix Jean-Louis Sylvain. Saint-Séverin, 1972.

Ainsi, dans la Beauce, on sait que quelques croix ont été érigées parce que, par exemple, le propriétaire voulait, par ce geste, s'attirer la bienveillance du gouvernement pour qu'il ouvre des chemins nouveaux. Il y a aussi ces croix ex-voto que l'on érige en remerciement, soit à la suite d'une opération réussie, d'une faveur obtenue, d'une guérison...

Quant à la morphologie de la croix en Beauce, on peut dire que c'est une croix de bois « faite de deux pièces, généralement équarries et planées, assemblées à mi-bois, d'environ 12 à 15 pieds de hauteur à laquelle on ajoute parfois un ou plusieurs éléments décoratifs ». Ces éléments sont des cœurs, des coqs, des instruments de la Passion, des niches, etc. C'est une croix très simple qui, comme la majorité des croix, peut avoir entre vingt-cinq et trente ans d'existence. Mais ce qui est remarquable dans la Beauce, c'est l'extraordinaire histoire des croix que les Beaucerons conservent avec eux. Il n'est pas étonnant, par exemple, de voir des croix plantées parce que six générations ont fait le même geste auparavant. Ils vont vous dire

Ill. 13. Croix Émile Lacasse. Saint-Honoré, 1948.

ainsi que telle croix a remplacé une ancienne croix qui avait été construite en 1954, à l'occasion de l'année mariale, mais que cette croix en remplaçait une autre de 1930. On est même remonté comme ça jusqu'en 1900.

Emile Legault: Et ce sont des notes inscrites dans leur mémoire?

René Bouchard: Ils ont parfois des papiers ou des photos pour accompagner leurs dires, mais ils racontent toujours ça sponta-

Ill. 14. Croix Antonio Huppé. Beauce, 1938.

nément. Ils connaissent l'histoire de la croix, ce qui ne se retrouve pas partout. Ainsi, dans Dorchester où il y a énormément de croix, de calvaires en poussière de ciment ou de granit, c'est le silence le plus complet. Une étude encore plus approfondie nous permettrait peut-être de trouver des choses, mais en Beauce on doit dire qu'on a eu une quantité et une qualité d'information qu'on n'a pas retrouvées ailleurs.

Ill. 15. Croix J.-A. Marcoux. Saint-Honoré, c. 1950.

Emile Legault: Mais, est-ce qu'on pouvait jauger leur initiation théologique à travers tout ça?

René Bouchard: C'est une très bonne question mais il est encore difficile d'y répondre. En cours d'enquêtes, nous avons voulu faire certains sondages pour essayer de savoir et de vérifier le sens que les gens pouvaient donner aux instruments de la Passion, au coq, au Christ, à la niche, etc. Je me souviens d'une informatrice en particulier. Je lui ai dit, en lui montrant le porte-éponge: «Ça, pour vous, qu'est-ce que c'est?» Elle me dit: «Ah! bien ça, ça servait à picosser le Christ». Et puis elle a ajouté: «Il faudrait demander à monsieur le vicaire, il saurait plus que moi». Alors, vous voyez qu'il est difficile de répondre à cela. L'interprétation que l'on donne est celle de la théologie traditionnelle. S'il y a une main sur la croix, c'est pour nous celle du soufflet, mais que représente-t-elle au juste pour celui qui l'a construite. On ne le sait pas toujours...

Emile Legault: Est-ce que ces croix sont encore des centres de ralliement de prières?

René Bouchard: C'est une tradition qui est certainement moins vivace qu'autrefois. D'après les informateurs rencontrés, il est mani-

Ill. 16a. Croix Philippe Poulin. Saint-Victor-de-Tring, 1951.

feste qu'à l'époque des écoles de rang, les traditions au pied de la croix étaient beaucoup plus régulières qu'elles ne le sont maintenant. Quand les écoles de rang ont disparu, il y a beaucoup de « mois de Marie » qui sont tombés aussi, parce qu'alors la « maîtresse » venait, généralement le midi, avec ses écoliers pour décorer la croix et y faire leurs dévotions. C'était un rappel constant pour les adultes qui reprenaient la même dévotion le soir. Les gens du rang se rassemblaient, allaient prier au pied de la croix et, ensuite, se retrouvaient

Ill. 16b. Détail: la traverse.

entre eux pour jaser et quelquefois «veiller». Malgré tout, l'été dernier, j'ai eu connaissance de cérémonies aux croix de chemin. Évidemment, cela se fait aujourd'hui surtout par le biais des centenaires, des fêtes villageoises... C'est assez symptomatique. Je me souviens d'avoir lu dans le feuillet paroissial d'une église que le curé voulait ressusciter les vieilles coutumes. Ce n'est pourtant pas très vieux, mais dans l'esprit des gens cela fait un peu partie du passé.

Emile Legault: Je suis très sensible à ce désarroi des vieilles gens. J'ai entendu une dame qui disait: «Mais est-ce qu'on va être sauvé nous autres, avec tout ça?» Elle avait l'impression que ce qu'elle avait fait dans le passé n'était pas valable.

René Bouchard: J'ai connu un informateur dans la Beauce qui faisait vraiment le pari de Pascal. Il disait: «Moi, je continue. Ça va me donner au moins deux chances: si j'ai raison je serai sauvé; si je n'ai pas raison, en vivant selon ces principes, je ne pourrai pas ne pas être sauvé.» En général, chez les gens que j'ai rencontrés, on sentait vraiment qu'ils faisaient corps avec leur clergé, avec des prêtres issus de leur milieu. Finalement, on s'aperçoit qu'il y a là une espèce d'interpénétration. Ce n'est pas comme en France toutefois.

Ill. 17. Croix Martin Vachon. East-Broughton, rénovée en 1969.

Van Gennep, le grand folkloriste français, fait une distinction entre le culte liturgique, c'est-à-dire le culte de l'institution avec son embrigadement, son personnel, ses temples, ses rites, et le culte populaire. Chez nous, je crois que cette division n'est pas tellement opératoire, parce qu'on n'a pas une aussi grande tradition religieuse et qu'elle ne se greffe pas sur ce fond païen que l'on retrouve dans les populations européennes. Chez nous, évidemment, cela peut être remis en question. Autant le curé pouvait demander que

Ill. 18. Calvaire Odilon Grenier. East Broughton-Station, 1977.

Ill. 19. Calvaire Yvon Landry. Linière, 1966. Attribué à Lauréat Vallière, le corpus daterait de 1948.

Ill. 20. *L'arrêt des porteurs à la croix du chemin*. Peinture à l'huile de Jean-Claude Dupont, Québec, 1976.

l'on construise une croix de chemin, autant l'individu pouvait le faire lui-même et demander au curé de participer aux cérémonies qui s'y déroulaient.

Emile Legault: Les études que vous faites au Groupe de recherche sur la religion populaire vous permettent-elles de pénétrer plus profondément l'âme des gens?

René Bouchard: Oui. Je le dis avec beaucoup de conviction. On s'aperçoit qu'on entre dans quelque chose de très important parce que la religion est certainement un facteur très important d'identité collective.

Emile Legault: Ce qui veut dire que d'ici peu il se publiera des choses qui auront été observées sur le terrain et qui auront été recoupées scientifiquement.

René Bouchard: Il faut comprendre et sentir l'importance de la religion populaire. Ce qu'on connaît de la religion jusqu'à maintenant, c'est peut-être la religion institutionalisée, parce que les historiens s'en sont occupés. Mais je pense que la religion vécue est encore une chose que l'on ignore, dont on ne soupçonne pas l'extraordinaire richesse. L'historien Nive Voisine a dit: « On parle de la religion catholique mais on devrait parler des religions catholiques au Québec». Quant à moi je dis que l'on devrait continuer à parler de religion populaire, malgré la part d'ambiguïté que recèle l'expression...

APPENDICE

Le témoignage du curé Antonio Arsenault

Antonio Arsenault: Parlons, si vous voulez bien, d'une mystique bien particulière aux Beaucerons, la mystique de la Chaudière. Depuis treize ans que je vis dans la Beauce, j'ai été attendri plus d'une fois en entendant les Beaucerons parler de la Chaudière en ces termes: « Quand la Chaudière déborde et ressemble au fleuve Saint-Laurent, les Beaucerons pensent au cœur et au sein d'une mère débordante de tendresse inlassable». Je trouve ce rapprochement de haute inspiration. On a aussi parlé des croix de chemin. Il y a de belles croix de chemin dans la Beauce et plusieurs sont dispendieuses. Autrefois, on voyait souvent un paysan voyageant en voiture à traction animale qui passait devant une croix de chemin, qui soulevait son chapeau et disait: « Salut, ô bonne croix!

Ill. 21. Calvaire Simone Morin. Sainte-Aurélie, 1955.

Croix de mon Sauveur, conduis-moi au ciel.» Aujourd'hui, cela se voit plus rarement parce qu'on voyage en automobile, mais vous admettrez qu'un paysan ou une mère de famille qui a cette inspiration s'en ressent un peu toute sa vie. Je me suis fait conter aussi qu'entre Saint-Joseph et Vallée-Jonction on a élevé, il y a longtemps, un beau calvaire qui existe encore. Quand on l'a construit, la population était pauvre et on ramassait des contributions de porte en porte. Et c'est ainsi qu'on arrive à la porte d'un cultiva-

Ill. 22. Croix Marcel Marcoux. Saint-Elzéar, c. 1960.

teur qui n'était pas riche. On lui demande donc s'il avait quelque chose à donner pour le calvaire qu'on voulait ériger. Il dit: « Oui. J'me laisserai pas traîner les pieds, ça m'fera ça de moins à boire. » Ça été le plus gros souscripteur, il a donné vingt-cinq dollars. Mais voilà que deux ans après, un dimanche soir où il avait pris une petite « brosse » et puis une autre, il s'est retrouvé pas mal « pacté ». La conclusion, c'est qu'à deux heures du matin il s'est réveillé, son cheval arrêté devant le calvaire en question. À son réveil, il se met à genoux et dit: « Salut! ô bonne croix! » Il n'y a pas eu davantage de désastre et il a retrouvé le chemin justement au pied de son calvaire. Autrement, il risquait de prendre le fossé ou de mourir de froid. C'était en hiver. Quand le ciel veut parler à la terre, il trouve toujours un moyen de s'exprimer. Il y a une autre mystique admirable que l'on vient de vivre dans le mois d'avril, le mois du sirop d'érable. Plus d'une fois, je me suis fait dire par des Beaucerons que la goutte de sève qui jaillit de l'érable fait penser au mystère du Vendredi Saint, au cœur transpercé de Jésus sur le calvaire.

Emile Legault: Ils voient bien qu'il y a un rapprochement à faire entre la sève nourricière et le sang sauveur.

Antonio Arsenault: Ils ne sont pas au courant comme nous, les théologiens, du rocher de Moïse qui évoquait le cœur de Jésus percé par la lance, mais ils font un rapprochement qui les touche à chaque année qu'ils vivent.

Emile Legault: Nous pourrions peut-être parler aussi de la mystique des sommets.

Antonio Arsenault: Quand on circule sur les routes de la Beauce, on aperçoit presque toujours un clocher à l'horizon. Cela est dû au sol accidenté, la rivière, les côteaux, la montagne. On voit toujours le clocher, qu'il soit à trois milles ou à dix milles, parce qu'il est toujours situé sur un mont, sur une hauteur. Si on pense au Sacré-Cœur de East Broughton, on voit l'église dès qu'on sort de Thetford. C'est la même chose pour l'église de Saint-Éphrem. À Saint-Méthode et à Saint-Évariste, c'est peut-être là que c'est le plus évident, car de loin on dirait que la croix du clocher va accrocher le firmament. On n'ignore pas que Saint-Méthode et Saint-Évariste sont dans Frontenac, mais ce sont des Beaucerons qui ont ouvert ces montagnes. Ils avaient appris à la petite école que la première fois que le bon Dieu s'est montré sur la terre pour tout de bon, c'était sur une montagne de 8,400 pieds, le Sinaï. C'est peut-être pour ça qu'ils sont aussi fiers de leurs autels dans les églises.

Emile Legault: Et certainement que cette ligne d'horizon rythmée ici et là par l'apparition d'un clocher doit entretenir malgré tout un certain climat de spiritualité?

Antonio Arsenault: Certainement. D'abord, ça peut nous orienter géographiquement mais ça oriente la pensée aussi. Mais j'aimerais revenir aux croix de chemin pour parler de ce qui s'est passé l'an dernier à Saint-Elzéar. À ce moment-là on m'a demandé d'aller faire des prières pour conjurer le fléau de la tordeuse d'épinettes. J'y suis allé. C'était un lundi. La première station s'est faite devant une croix de chemin loin du village. Il y avait une douzaine de voitures, disons une trentaine de personnes, hommes, femmes et enfants. On a prié devant la croix de chemin et j'ai dit aux gens: «si vous avez le temps, on va se rendre dans la forêt». On s'est rendu dans la forêt qui était à six ou sept arpents de là. Les chenilles nous tombaient sur la tête. Je n'avais jamais rien vu de si malpropre, de si funèbre, tous ces arbres garnis de fils et de chenilles qui pendaient au bout des branches rougies. J'ai dit: «on va prier ici». On n'avait pas le temps de faire une heure sainte mais j'ai dit: «on va veiller». On a récité ensemble des passages de la Bible, on a dit le chapelet et on a chanté un cantique à la bonne sainte Anne. J'ai dit aux gens: «soyez assurés que vous n'avez pas prié pour rien». On ne peut pas faire un geste de foi comme celui-là pour rien, dans la nature que le bon Dieu a créée. Là-dessus, le maire de Saint-Elzéar, un très gros cultivateur, prend la parole. Il dit: «Dans mon jeune temps, monsieur le curé, quand on était pris, comme ça avec la misère, les dangers, on payait des messes. Est-ce que ç'a encore de la valeur ça?» J'ai dit: «Plus que jamais, mon ami, parce que le sacrement de l'Eucharistie est bafoué comme jamais. Si vous offrez des messes, soyez assurés que vous offrez le sacrifice le plus agréable au bon Dieu et vous proclamez votre foi de la plus belle façon.» Il y avait une quinzaine d'habitants, là, sous les arbres, et ils m'ont donné $180 pour que je chante des messes. Quand un curé est témoin de geste de foi comme celui-là, ça le touche au fond du cœur.

Emile Legault: En fait, c'était l'application concrète, de la part de ces gens, du conseil que le Christ a donné: «Frappez et on vous ouvrira.»

Chapitre II

La mystique des Beaucerons

Paul Jacob et Antonio Arsenault

Emile Legault: Nous allons parler ce matin des dévotions, et, plus particulièrement, de la mystique de la Beauce. Pourquoi M. le curé, tant insister sur cette mystique beauceronne?

Antonio Arsenault: Parce que cette mystique définit absolument l'âme des Beaucerons et qu'elle est rivée à la nature elle-même. Pour connaître et analyser le Beauceron, il faut traverser la Beauce et avoir le temps de regarder la nature. Si on dit, par exemple, que les Beaucerons ont la mystique des sommets, c'est assez facile à comprendre quand on connaît la topographie de la Beauce.

Emile Legault: Et vous voyez une expression de tout ça dans la construction des clochers qui s'élèvent toujours?

Antonio Arsenault: Justement. Je pourrais commencer par celui de Saint-Séverin mais il y a aussi ceux de Saint-Georges, d'East-Broughton et de Saint-Éphrem. Il y a aussi les églises de Saint-Méthode et Saint-Évariste qui ont été construites par des Beaucerons. Si vous êtes déjà passé par là, on dirait, à mesure qu'on approche, que la croix va accrocher la voûte du firmament. Il y a une pensée au fond de cela; il ne s'agit pas seulement de fonder un temple sur le roc et de ne pas être inondé. Ces gens-là ont connu le vrai Dieu, le Dieu de Moïse; la première fois qu'ils en ont entendu parler, c'était à propos du buisson du Sinaï, à 8,400 pieds au milieu du désert. Ces gens sont donc restés avec l'idée que le bon Dieu se loge haut et c'est pour ça qu'ils sont si fiers de leurs églises et de leurs autels. Si vous venez, par exemple, à Saint-Séverin, vous verrez l'autel de la petite église qui a coûté $7,000.00.

Emile Legault: Vous avez écrit, n'est-ce pas, une monographie de Saint-Séverin?

Antonio Arsenault: On a entrepris la rédaction d'un album-souvenir et on m'a demandé quelque chose sur les origines de la paroisse. J'ai ensuite fait une histoire des curés. Il en est passé quatorze avant moi et ils ont tous eu droit à un chapitre.

Emile Legault: J'ai lu quelque part que les premiers curés de la Beauce étaient des citadins qui ne collaient pas tellement à la popu-

Ill. 23. «Commandements de Dieu ou Décalogue». *Catéchisme en images*, Paris, 1908, pl. 26.

lation de la Beauce. Il y avait, semble-t-il, un petit fossé entre le curé formé dans un milieu citadin et les ruraux qu'étaient les Beaucerons. Comment expliquer qu'à travers tout ça, se soit développée cette foi intense que connaissent les Beaucerons ?

Antonio Arsenault: C'est parce que tous ces curés qui sont venus à Saint-Séverin et, cinquante ans avant, à Sainte-Marie, ont été obligés de reconnaître que les pionniers dont ils étaient les pasteurs subissaient un mode de vie qu'eux-mêmes n'auraient pas été capables de subir. On lit dans la monographie de l'abbé Honorius Provost qu'en 1823, quand a eu lieu la fondation du Collège Notre-Dame de Sainte-Marie, on arrachait sa vie à une pauvreté, à une indigence, à un dénuement extrême. Le curé qui était obligé de toucher à cette misère en revenait de sa bourgeoisie. Je vous dis qu'il était fier de s'attacher au pied de la croix et aux manchons de la charrue pour aider ces gens. C'est ce qui m'est arrivé à Saint-Séverin.

Emile Legault: Paul, quel genre de curé est le curé Arsenault ?

Paul Jacob: On pourrait le définir comme un homme conservateur, traditionnel. Mais ce que j'aime le plus chez lui, c'est son accueil, il est ouvert à tout le monde. L'intérêt que je manifeste pour l'étude des dévotions populaires repose d'ailleurs un peu sur lui, car lors d'enquêtes menées à Saint-Séverin, j'ai eu l'occasion de le rencontrer, de discuter avec lui et de parler très librement. C'est vraiment un curé qui sort de l'ordinaire.

Antonio Arsenault: Je ne peux pas ne pas prendre plaisir à recevoir les jeunes qui viennent. Je me dis que ces jeunes sont des personnalités hautement supérieures à ce que j'étais à leur âge. À cause des conditions sociales qui ont prévalu, à quinze ans, dix-huit ans ils sont déjà intégrés à la société alors que j'étais encore un peu farouche. Ils viennent pour parler de toutes sortes de choses, de santé et de religion aussi. Ils viennent parler des bouleversements qu'il y a eu dans le domaine religieux.

Emile Legault: Mais pour en venir plus directement à notre sujet d'aujourd'hui, j'aimerais, Paul, que vous me disiez quelles sont les pratiques de dévotion qui avaient cours quand vous étiez jeune ?

Paul Jacob: Parmi les pratiques de religion dont je me rappelle le plus, je voudrais surtout parler de la prière du soir que ma grand-mère Jacob nous avait apprise. Avant de se coucher, on disait toujours: « Dormez Jésus, dormez mon Sauveur, dormez dans mon cœur. Petit Jésus, petit agneau, faites de mon cœur un petit berceau. Petit enfant de Bethléem, je vous adore et je vous aime. »

Emile Legault: C'est elle qui avait composé cela?

Paul Jacob: C'est une prière qu'elle avait ou composée ou apprise dans sa famille, mais je sais dans tous les cas qu'on la récitait tous les soirs avant de se coucher et que dans le voisinage elle était inconnue.

Antonio Arsenault: Quand on allait à l'école de rang, on était souvent invité à composer, à rédiger des petites prières. C'est peut-être dans des circonstances comme celle-là qu'elle aura écrit cette prière qui est magnifique.

Paul Jacob: Lorsque j'étais à la petite école et que les religieuses de Saint-François d'Assise nous enseignaient, nous récitions la prière suivante à toutes les heures:

> « À cette heure
> Comme à toute heure,
> Que Jésus soit dans mon cœur,
> Qu'il y fasse à jamais sa demeure.
> Courage, ô mon âme,
> Le temps passe, l'éternité approche.
> Pensons à bien vivre
> Afin de bien mourir.
> Saluons la sainte Vierge
> et disons avec l'ange... »

À partir de ce moment-là on récitait le « Je vous salue Marie » et on était encore bon pour une heure.

Antonio Arsenault: Il n'y a rien de plus vrai: « P'tit Jésus, soyez dans mon cœur ». C'est un beau développement de la prière que nos parents nous apprenaient: « Mon Dieu, je vous donne mon cœur, prenez-le s'il-vous plaît afin que jamais aucune créature ne puisse l'en chasser ».

Emile Legault: Je me rappelle de ça. Mais est-ce que vous faisiez aussi de longues prières le soir avant de vous coucher?

Paul Jacob: La prière en famille était déjà assez longue. On disait d'abord le chapelet et ensuite les invocations qui n'en finissaient plus. Par exemple, ma tante Hélène avait toujours l'habitude d'invoquer une foule de saints que ses enfants ne connaissaient pas. Un jour, ils ont décidé de couper court à cela. Comme elle nommait un saint que personne ne connaissait, un des garçons a répondu: « Enchanté de faire votre connaissance ». Ç'a été fini, les invocations après le chapelet!

Ill. 24. « La Prière ». *Catéchisme en images*, Paris, 1908, pl. 52.

Antonio Arsenault: C'est bien admirable que nos ancêtres aient fait entrer dans leurs foyers ces flambeaux de notre Église qu'on appelle les Pères et les Docteurs de l'Église catholique.

Emile Legault: Pourquoi faisaient-ils cela ?

Paul Jacob : Certainement pour agrandir leur champ de vision. Mes parents d'ailleurs récitent encore leurs prières chaque matin avec les commandements de Dieu et de l'Église. On a été habitué aussi, quand on allait en automobile, à dire notre chapelet. Graduellement, c'est devenu une dizaine de chapelet. Même moi, lorsque je pars en automobile, c'est très fréquent que je récite un « Notre Père » ou un « Je vous salue Marie. »

Ill. 25. Croix Dorvigny Berthiaume. Saint-Elzéar, c. 1965.

Ill. 26. Croix Marcel Marcoux. Saint-Elzéar, c. 1960.

Emile Legault: Le dimanche matin, quand nous partions en pique-nique, comme nous avions manqué la grand-messe, maman disait: « on va réciter le chapelet pour remplacer ça ». L'autre raison, c'était que ça nous calmait pendant que papa était à la roue. Mais ce que j'aimerais savoir, Paul, c'est de quelle façon vous avez abordé l'étude des dévotions beauceronnes ?

Paul Jacob: C'est tout d'abord à l'occasion d'un cours où on nous avait demandé de répondre à la question suivante: est-ce que la niche de croix de chemin peut nous renseigner sur le contenu des dévotions populaires dans la Beauce ? Au point de départ, c'était presque décourageant d'envisager une question aussi globale. Alors, j'ai surtout fait mes recherches sur Saint-Elzéar, et Saints-Anges, des paroisses qui ont été détachées de Sainte-Marie, la paroisse mère, au milieu du XIXe siècle. Ça me donnait l'occasion d'essayer de retrouver un culte qui devait être passablement identique d'une paroisse à l'autre, puisque ces paroisses ont pu être pendant un certain nombre d'années sous la juridiction spirituelle de Sainte-Marie. En fouillant dans les monographies paroissiales et en interrogeant des informateurs, j'ai constaté que les dévotions dans la Beauce étaient reliées aux cultes de sainte Anne, de la Vierge et du Sacré-Cœur. Ce sont les trois grandes dévotions que j'ai retrouvées de façon très intense chez le paysan à travers la niche de croix de chemin. Pour moi, la niche n'a été qu'un signe palpable des dévotions qu'il y avait dans les familles. Si je m'étais limité à étudier les dévotions aux croix de chemin, j'aurais peut-être trouvé peu de choses, mais là où la niche a été érigée, là où la statuette est placée, c'est dire que dans la maison il y a un culte très privilégié pour le saint en question. En voici un exemple précis. Chez M. et Mme Roméo Vachon, du rang Sainte-Anne, à Saint-Séverin, se trouve une très belle croix de chemin. Au pied de la croix, on remarque une niche dans laquelle se trouve une statuette de sainte Anne. On pourrait dire tout d'abord que cette statuette a été placée là pour commémorer le nom du rang. Par la suite, on y a pratiqué des dévotions à l'endroit de sainte Anne mais on y a remarqué aussi d'autres manifestations qui ne rejoignaient pas du tout les préoccupations de sainte Anne. Mais enfin on peut dire que c'est dans cette niche que réside le sacré dont le paysan tire bénédiction et assistance quand il en a besoin. C'est un exemple que je donne et je pourrais en citer beaucoup d'autres à la lumière des informateurs que j'ai rencontrés. C'est un champ d'étude qui est très vaste et fort passionnant.

Ill. 27a. Décors religieux et objets de dévotion. Saint-Séverin, 1976.

Ill. 27b. Décors religieux et objets de dévotion. Saint-Séverin, 1976.

Ill. 27c. Décors religieux et objets de dévotion. Saint-Séverin, 1976.

Antonio Arsenault: Vous venez de nommer Saint-Elzéar, Sainte-Marie et Saints-Anges. Donnez-vous raison à Son Excellence le cardinal Villeneuve lorsque, dans une retraite de prêtres au grand séminaire de Québec, il nous avait dit: « Je voudrais bien voir toutes mes paroisses de 5,000 de population et plus, divisées en paroisses de 500 âmes ».

Emile Legault: Je pense qu'une paroisse trop grande, ce n'est pas tellement pratique pour établir la communication au sein de la communauté, mais avec la constitution des communautés dites de base, on ne dépassera pas beaucoup la paroisse moyenne dont vous parlez. Mais j'aimerais savoir si vous avez étudié le cheminement de la dévotion à sainte Anne dans la Beauce.

Antonio Arsenault: Un peu. Il faut d'abord faire remarquer qu'un fort pourcentage de Beaucerons venaient de la côte de Beaupré. La dévotion à sainte Anne était déjà installée dans leur âme, sans compter que dans la province de Québec sainte Anne a toujours eu sa fête, son mois, son dimanche et ses cantiques. Ainsi, dans la Beauce, à Sainte-Marie, il y a une chapelle dédiée à sainte Anne. C'est une chapelle très vénérable qui a toute une histoire et où, chaque année, pendant la neuvaine, toutes les paroisses se rendent. Il y a alors une messe, des confessions et une prédication spéciale. Des trente à trente-cinq paroisses qui s'y rendent, il n'y en a pas une qui n'y va pour rien. Et je crois fermement aux légendes qu'on m'a racontées à ce sujet. Par exemple, on nous conte qu'un père de famille était allé en hiver, dans le mois de

Ill. 28. La chapelle Cliche. Sainte-Marie, 1891.

décembre, à pied, traverser la Chaudière pour visiter un beau-frère malade au lit. Il revenait vers minuit et devait traverser à nouveau la Chaudière. Mais, un peu dépassé le milieu de la rivière, il s'est rendu compte que la glace craquait sous ses pieds et qu'elle défonçait. Pas question de virer de bord. Il a fait trois ou quatre bonds de chevreuil pendant que la glace continuait de défoncer. Une fois rendu au bord, il a dit à la bonne sainte Anne: « À chaque année je serai ici à la chapelle Sainte-Anne. » Un autre homme avait descendu du bois pour chauffer l'église, à la fabrique de Sainte-Marie. Il en avait profité pour dompter un poulain de quatre ou cinq ans qui était un peu fringant. Alors, il a descendu sa charge de bois. Le temps qu'il déchargeait, le train du Québec Central est arrivé en faisant hurler sa sirène. Le diable emporte le poulain qui tourne devant l'église et qui s'en va dans la cour du couvent des sœurs de la Congrégation Notre-Dame. Il arrive parmi une « talle » de petits gars qui jouaient. Imaginez ça: un cheval échappé au galop avec une paire double de « sleighs » de quinze pieds de long. Il balayait toute la cour avec ça pendant que le bonhomme se recommandait à sainte Anne: « Sainte Anne, sainte Anne, sainte Anne! » Il n'était pas capable de rejoindre son cheval mais il le confiait à sainte Anne. Après avoir traversé notre « talle » de petits gars sans en accrocher un, il va s'arrêter, comme s'il avait été paralysé, devant un groupe de petites filles qui s'amusaient dans la cour. C'était la récréation. Quand le bonhomme a retrouvé son cheval, une petite fille de sept ans lui flattait le museau. Comment voulez-vous que ce gars-là ne fasse pas une résolution? Ça aurait pu lui coûter cher cette escapade-là. Il est resté fidèle à sainte Anne et un fervent de sa chapelle.

Emile Legault: Et puis le patineur sur la Chaudière?

Antonio Arsenault: C'était un gars de vingt, vingt-deux ans. Sa mère éprouvait un peu de difficulté avec lui parce que, en tournant autour des chantiers, il avait appris toutes sortes de « patois », de jurons. Sa mère lui avait dit: « ça finira par te porter malchance si tu ne fais pas attention ». Alors, le lendemain soir, le samedi, il chausse ses patins et s'en va sur la Chaudière. À un moment donné, il entend cric, crac, cric, crac... Aussitôt il fait trois ou quatre bonds mais la glace défonçait. Alors, il a eu l'idée de dire à la bonne sainte Anne qu'il ne sacrerait plus jamais et que tous les ans il viendrait faire son pèlerinage. Il est mort à 75 ans et il paraît qu'il n'a jamais manqué à sa promesse.

Emile Legault: Ces choses-là vont peut-être paraître naïves à certains mais si on prend la « substantifique moëlle » de tout ça, peut-on y trouver une foi profonde au sacré?

Antonio Arsenault: Les bourgeois que nous sommes peuvent peut-être appeler cela de la superstition ou de la foi naïve, mais c'est parce qu'ils ne savent pas qu'on ne prie jamais pour rien et que le Ciel fait ses interventions avec ces naïfs-là. Ce n'est pas souvent que le Ciel vient parler à un cardinal.

Ill. 29. Ex-voto de Dorval. Attribué à Paul Beaucourt, c. 1740.

APPENDICE

Le bûcheron

« C'est un jeune homme ; il avait dix-huit ans. Il avait jamais été dans le bois. C'était la première fois qu'il allait travailler dans les chantiers. Puis là, il a demandé de l'ouvrage au boss. Ça fait que le boss, il a été lui montrer du bois, hein ? Un prend un bord, l'autre prend l'autre bord. Puis le boss prend un chemin, puis il lui montre, là, puis il lui dit : « Bûche icitte ! Commence-toi un chemin icitte puis bûche ! » C'était dans l'après-midi, ça. Puis on était plusieurs hommes ; on était cent huit à cent vingts hommes. Chacun avait son bord, chacun avait ses chemins. Toujours bien, lui, la première après-midi, il voulait en faire pas mal pour voir comment qu'il était pour faire de gages. Il était à la job, on était toutes à la job. Il s'est laissé ennuitté, il a travaillé jusqu'à la nuitte. Là, quand il est venu pour s'en venir au camp, il était à peu près à un mille et demi du camp. Là, il s'est écarté. Il a marché. Il a été dix jours écarté. Puis c'était dans l'hiver. Il y avait ça d'épais de neige. Il faisait pas chaud. Il faisait frette. C'était la saison de l'hiver. C'était au commencement de décembre, ça. Puis là, c'était le troisième camp de nous autres, ça. C'était pas notre camp. C'était le troisième camp. Ça pouvait être à quatre milles de nous autres. Là, ils l'ont cherché. Il y avait peut-être une affaire de quatre-vingts hommes qui a cherché, là. En tout cas, ç'a été au bout de dix jours qu'il a été trouvé. Son linge était tout déchiré; on y voyait les jambes. Sa chemise était déchirée, sa frock. Tu sais, il avait marché dans les branches. En tous les cas, il avait été dix jours écarté, il avait couché dix jours dehors. C'était pas chaud, dehors. Il avait seulement pas d'allumettes sus lui. Il fumait pas, rien. Sans manger. Il avait rien à manger. Si ça avait eu été l'été, il y aurait eu des fruitages, quelque chose qu'il aurait pu manger. Mais c'était dans l'hiver. Il y avait proche deux pieds de neige. Ça fait que ils l'ont trouvé au bout de dix jours. Il était pas fort, le gars. Dix jours sans manger! Il tricolait puis il était rendu peureux. Une personne va être longtemps dans le bois; là, il devient farouche comme une bête de bois, vous savez. Il vient peureux. Quand ils l'ont vu, ils lui ont lâché un cri, puis il a parti pour se sauver. Là, il a tombé à terre. Là, il pouvait plus marcher. Ils l'ont sorti au chemin dans leurs bras puis ils l'ont amené à notre camp.

Il a dîné à notre camp. C'était sus le coup du midi, ça. On était toutes après dîner, puis ils ont arrivé avec ce jeune homme-là. Ça été un émoi terrible quand ils ont arrivé. On le pensait mort, nous autres. Vous savez, ça se parlait partout. Puis là, il s'est assis. Ils l'ont fait dîner, mais il a guère mangé. Quand ça fait dix jours qu'une personne a pas mangé une bouchée, faut pas qu'il prenne un gros repas, hein? Ils l'ont fait manger de quoi de léger, puis là le cook s'est mis à le questionner. Puis nous autres, on était toutes là, hein? On avait retardé pour s'en aller à l'ouvrage pour l'écouter parler. Puis ça, il l'a conté à nous autres. Il disait comment il avait eu de la misère, puis qu'il avait eu de la misère. Dans le jour, il marchait sans arrêter, tu sais. On a dit: «Quand venait la nuitte, là?» Bien il dit:

> «Je me couchais au pied d'un arbre. Quand la noirceur prenait, là, ma mère venait avec moi, elle arrivait. Elle était habillée en blanc, un drap blanc sur elle, puis elle avait soin de moi. Elle arrivait avec deux draps sous le bras, elle s'abrillait puis elle se couchait avec moi. Quand il faisait trop froid, elle allumait un petit feu à nos pieds.»

C'était sa mère qui était morte qui venait à son secours, la nuitte. Il l'a conté comme ça. Oui, oui, il nous l'a conté: «puis elle m'abrillait avec deux couvertes. Puis j'avais jamais frette la nuitte. Ma mère était avec moi. Mais quand venait le petit jour, elle disparaissait; je ne la voyais plus.»

Il avait dix-huit ans, ce jeune homme-là. Si c'était pas sa mère, c'était la sainte Vierge. Mais il dit: « elle ressemblait à ma mère; c'était le parler de ma mère. » Elle disait: « Prends pas de trouble, ils vont te trouver! ». Elle lui disait ça. « C'est toujours ça qui m'a tient le courage parce que, des fois, j'avais envie de me décourager. Je me voyais en aller, j'étais pris pour mourir. » Elle m'a dit: « Tu mourras pas, ils vont te retrouver. Décourage-toi pas! » Vous savez qu'on rouvrait les yeux, nous autres, se faire conter ça. Puis il était sérieux, le petit gars! Parce qu'il serait mort, il aurait gelé, hein? Dix jours sans manger, c'est pas mal, vous savez. En tout cas, ils l'ont conduit à l'hôpital, à Québec, pour le soigner, le renforcir. Il était trop affaibli, l'estomac trop diminué de pas manger. Il marchait, puis ils le tenaient par les bras. Il était fini, fini. Il a dit: « Ma mère m'a toujours dit de dire des mots de prières puis tu mourras pas; ils vont te retrouver! » « ça, c'est une permission du bon Dieu! »

Ce récit a été raconté le 11 décembre 1974, à Saint-Joseph de Beauce, par Monsieur Léonce Vachon, alors âgé de 75 ans. Monsieur Vachon l'a entendu conter par le jeune homme qui a vécu le fait il y a une trentaine d'années.

Chapitre III

Portrait d'un curé de campagne

Antonio Arsenault

Emile Legault: Ce matin, monsieur le curé, nous continuons notre conversation sur ce que vous avez appelé la mystique des Beaucerons.

Antonio Arsenault: La mystique est la dévotion sensible et on pourrait même dire qu'il n'y a pas de vraie dévotion si elle ne touche pas le sensible, le cœur. Lamartine, je crois, disait: « La foi n'est pas vraie si la chair ne vibre pas ».

Emile Legault: Vous êtes un homme humain, très proche des gens. Cela se sent. Et vous allez nous parler de ce qu'était, de ce qu'est encore, d'ailleurs, la grand-messe du dimanche dans une paroisse comme celle de Saint-Séverin en Beauce.

Antonio Arsenault: La grand-messe du dimanche, c'est l'activité numéro un de toutes les semaines de notre vie. Étant jeune je partais de la première Cadie, le premier rang de Saint-Gervais, pour me rendre à l'église, ce qui donnait deux milles et trois quarts. Tous les gens avaient un bon cheval, une voiture et les chemins de terre étaient entretenus. On n'avait pas peur de manger de la misère et de rester en chemin. Je me suis fait conter ce que cela signifiait de partir, par exemple du quatrième rang de Saint-Séverin, à cinq milles et demi de l'église, pour venir à la messe du dimanche en « sleigh », en « quatre roues », et l'hiver en traîneau à bâtons: il n'y avait pas de sièges et on restait debout, hommes et femmes...

Emile Legault: Mettiez-vous des briques chauffées dans le fond avant de partir?

Antonio Arsenault: Ah! Ça servait à rien. Le sang des jeunes, c'était le chauffage interne. J'ai vu dans la Beauce, durant mon enfance, certains dimanches d'hiver, des hommes qui faisaient près de cinq milles pour venir à la grand-messe. Rendus à mi-chemin, pour que le cheval n'étouffe pas, ils passaient devant lui pour « lever » le chemin.

Ill. 30. « Commandements de l'Église [1er et 2e] ». *Catéchisme en images*, Paris, 1908, pl. 49.

Ill. 31. « La Communion des saints ». *Catéchisme en images*, Paris, 1908, pl. 13.

Ill. 32. Un curé de campagne. Le curé de Giffard, c. 1959.

Ill. 33a. Le prêtre et les rites de passage. Dessin de Henri Julien, c. 1919.

Emile Legault: Ce devait être un spectacle pittoresque de voir toutes ces voitures avec leurs chevaux autour de l'église.

Antonio Arsenault: Oui. Aujourd'hui, quand j'entends parler de cérémonie d'accueil et de Communion des saints, il m'arrive de dire à ceux qui nous font la leçon à propos du renouveau, que nous vivions cela quand on voyait passer vingt, trente, quarante voitures dans les mêmes routes. Ça c'était la Communion des saints, qui s'en venait avec des chevaux bien en vie, quand on dételait les chevaux et qu'on entrait à l'église pour mettre en commun la misère et les efforts. Le préalable normal à toute Eucharistie valable, c'est l'amitié, la solidarité humaine.

Emile Legault: Est-ce que dans votre paroisse et dans la Beauce en général, il y avait de la solidarité? Est-ce que les gens s'aimaient?

Antonio Arsenault: Il y avait ce qu'on a appelé l'esprit de clocher. Mais, selon monseigneur de Laval, c'est justement ce qui a sauvé le Canada, cet attachement de la nation à l'Église canadienne. Il ajoutait d'ailleurs qu'à cause de cela il fallait que le pasteur de chaque paroisse visite chaque famille au moins une fois par année et qu'il ait le temps de converser pour prendre connaissance des joies et des peines de chaque famille. Ça, ça mettait de l'esprit de clocher. Aujourd'hui, les cerveaux modernes, au nom de l'œcuménisme, veulent ou blâmer ou sous-estimer l'esprit de clocher. Je les regarde non pas comme des hérétiques mais comme des gens dangereux; c'est comme ceux qui ont blâmé l'esprit de famille.

Emile Legault: Vous dites qu'il y avait de la solidarité, de l'amitié, mais je ne peux pas croire que dans la Beauce, c'était particulier ou exceptionnel. Il devait y avoir aussi des divisions, au moins sur le plan politique avec les bleus ou les rouges. Pas vrai?

Antonio Arsenault: Vous me rappelez un souvenir. Le curé de Saint-Alexandre était rendu à son homélie. C'était le dimande précédant les élections. Dans son prône il avait préparé un paragraphe pour diriger, orienter la conscience de ses fidèles. Au moment où il parlait de ça, il voit arriver dans l'église le candidat libéral du comté entouré de son état-major. Le curé fait donc une pause et dit à ses gens: « Nous allons prier spécialement aujourd'hui parce que le diable rentre dans l'église. »

Emile Legault: Est-ce que le candidat acceptait cela comme une blague?

Ill. 33b. Le prêtre et les rites de passage. Dessin anonyme, c. 1951.

Antonio Arsenault: Il s'est mis à rire et, le lendemain, il contait ça à tous ceux qui voulaient l'entendre. Il racontait cela comme une farce et il n'y avait pas plus de rancune que cela.

Emile Legault: Passons maintenant aux funérailles. Vous avez, je crois, des souvenirs fort vivants à ce sujet ?

Antonio Arsenault: Remontons à cent ans. Voici ce que je me suis fait conter par un organiste de quatre-vingt-quatre ans qui a longtemps joué dans sa paroisse. Il dit : « J'oublierai jamais les funérailles d'une mère de famille de vingt-neuf ans, la plus belle femme de la paroisse. C'était au milieu de septembre. Avez-vous connu à ce moment-là, monsieur le curé, la reine du corbillard avec deux beaux chevaux noirs ? » J'ai dit : « Oui, j'ai vu ça en avant du corbillard. Il y avait aussi la croix noire portée par un des voisins ou des notables de la paroisse. On prenait la peine si on ne trouvait pas deux beaux chevaux noirs dans la paroisse d'aller en chercher dans la paroisse voisine. » Et puis, il dit : « Cette fois-là, pour la jeune maman de vingt-neuf ans, qui était beaucoup aimée dans la paroisse, il y avait soixante-douze voitures qui suivaient le corbillard, toutes luisantes, toutes nettes. Et comme le quinze septembre la terre était bien gelée, on entendait, des arpents d'avance, l'écho des sabots sur la terre. Ça nous donnait la même impression qu'un orchestre militaire. » Si c'était un service de première classe, il y avait cent vingt cierges autour du catafalque. Le même organiste me disait : « Quand les gens voyaient entrer le cercueil là-dedans, ils ne se demandaient pas s'il y avait un purgatoire. À l'entrée du cortège, on a chanté un cantique significatif « Tout n'est que vanité, mensonge et fragilité ». En prenant place dans leurs bancs les gens pleuraient. Et on a abordé le troisième couplet dont les paroles sont de saint Augustin :

> « O ! combien malheureux
> Le jeune voluptueux
> Qui, dans ce monde trompeur,
> Croit pouvoir trouver le bonheur.
>
> Dieu seul est immortel,
> Immuable,
> Seul grand, éternel,
> Seul aimable.
>
> Avec son secours
> Soyons à lui pour toujours. »

Vous pouvez imaginer que la foi rentrait avec pression.

Emile Legault: La liturgie avec son côté spectaculaire et très parlant était une catéchèse vivante.

Ill. 34. « La mort ». *Catéchisme en images*, Paris, 1908, pl. 55.

Antonio Arsenault: La liturgie exprimait la pensée de Notre-Seigneur qui a institué des signes sensibles, les sept sacrements. Aujourd'hui, j'assiste à une liturgie qui semble vouloir niveler tous les signes sensibles pour que ça ne veuille rien dire. On veut tellement «dégêner» tout le monde avec le divin qu'il est devenu très facile de partir avec le bon Dieu dans ses poches.

Emile Legault: Mais comment concilier tout cela? Il y avait certainement un côté un petit peu effarant dans les funérailles et pourtant on n'arrivait pas à éliminer la joie de vivre, la bonne humeur du Beauceron.

Antonio Arsenault: Vous venez de dire effarant. Permettez-moi de parler de la mystique des planches, quand on disait dans la paroisse: «il y a quelqu'un sur les planches». Aujourd'hui, si on a moins de cinquante ans, on ne sait plus ce que cela veut dire. Je remercie le bon Dieu de l'avoir vu et d'avoir senti, le troisième soir du salon funéraire, le langage âcre de la corruption. Quand quelqu'un décédait, on n'avait pas recours à l'embaumeur; on allait chercher dans une pile de planches les quatre plus belles et on mettait ça sur deux chevalets avec un beau drap blanc. Pour les morts, il n'y avait qu'une couleur et c'était le noir. Il n'y avait pas que les chevaux qui étaient noirs mais le mort était aussi vêtu en noir. Il faudrait mentionner aussi le voile que la mère et la veuve portaient pendant douze mois. La seule lumière qui éclairait la chambre funéraire, c'est un cierge à la tête et aux pieds du mort. Le pauvre pécheur qui entrait dans le salon funéraire avait le frisson bien avant d'être rendu à côté de la dépouille.

Emile Legault: Par contre, on éprouvait le besoin d'exorciser cette peur en contant des histoires et en riant à gorge déployée.

Antonio Arsenault: On s'occupait surtout de réciter le chapelet et de dire les prières du scapulaire. Mais, à travers cela, il y en avait qui rappelaient des anecdotes un peu amusantes et ce n'était pas un mal. Je me suis fait conter qu'un gars avait été demandé pour aller chercher le corbillard au presbytère et l'amener à trois milles du village, à la porte qui était en deuil. On faisait toujours ça la veille au soir des funérailles. On était dans le temps des sucres et le gars en question avait fini sa journée tard et il était venu chercher le corbillard à neuf heures du soir. Le gars avait peur des morts et le bedeau le savait. Alors, ce dernier se montre pour sortir le corbillard, atteler le cheval et voir si tout était en ordre. C'était une responsabilité! Mais avant que le corbillard se mette en marche, le bedeau embarque dedans, se met à quatre pattes et laisse sortir le gars du village. Il commence lentement à frapper avec ses deux poings. Comme celui qui tenait les cordeaux ne réagissait pas trop, il s'est mis à cogner plus fort. Il sentait bien que le conducteur était de plus en plus pressé. Au bout d'un certain temps, il cogne des deux pieds et des deux mains dans le corbillard. Le charretier a « sacré » les cordeaux là et a pris le clos tandis que les chevaux rentraient chez eux tout seuls.

Emile Legault: Parlons un peu de l'esprit de famille que vous avez connu dans la bonne tradition.

Antonio Arsenault: Ça remonte à la mystique des foyers pleins d'enfants. Il y a à peu près cent ans, les trois quarts des foyers étaient pleins d'enfants. Je pourrais vous donner l'exemple d'une petite paroisse qui avait à peu près la même population il y a cent ans qu'aujourd'hui. Mais dans les registres de 1861, on note quarante-neuf baptêmes alors qu'en 1975, on en avait quatre. Des foyers pleins d'enfants, voilà ce qui explique l'esprit de famille admirable. Et quand l'esprit de famille n'existe plus, l'esprit de clocher disparaît à son tour et l'amour de Dieu va s'en sentir aussi.

Emile Legault: Est-ce que vous n'êtes pas convaincu que les premiers éducateurs de la foi, c'est le père et la mère?

Ill. 35. La Sainte Famille. Coll. Jean Simard.

Ill. 36. «Deuxième commandement de Dieu». *Catéchisme en images*, Paris, 1908, pl. 29.

Ill. 37a. « Le Baptême ». *Catéchisme en images*, Paris, 1908, pl. 29.

Ill. 37b. Le brassard de confirmation. Fonds Villeneuve, CELAT, Université Laval.

Ill. 37c. « La Confirmation ». Fonds Villeneuve, CELAT, Université Laval.

Antonio Arsenault : Oui. Et je dis souvent que je mourrai avec ce que j'ai su et vu à ma communion solennelle. Depuis que j'ai fait mon cours classique et mon grand séminaire, ils ne m'ont rien appris de nouveau. J'ai eu des commentaires, j'ai eu des arguments, mais mes convictions me viennent de ma mère, quand je l'ai vue prier, en priant avec elle et en apprenant mon catéchisme. Et puis, au commencement de mai, on prononçait le mot catéchisme. Marcher au catéchisme... L'expression est consacrée.

Marcher pendant quatre semaines pour apprendre le catéchisme du Concile plénier de Québec qui avait été agencé par les évêques du Québec. Nous apprenions ainsi la doctrine de Jésus-Christ préparée en questions et réponses par deux saints, saint Athanase et saint Pierre Canisius.

Emile Legault: Parlons maintenant d'une chose qui devait jouer un rôle considérable, le baptême.

Antonio Arsenault: Ah! la foi de nos ancêtres sur le baptême! Appelez-la foi farouche si vous voulez, mais j'en ai besoin pour garder la foi à mon âge. La foi vaut pour ce qu'elle coûte et, quand elle coûte cher, on l'apprécie, on l'aime et on risque sa vie pour elle. Le curé Lamontagne me contait qu'il avait vu, pendant son enfance dans la Beauce, l'héroïsme de nos pères. Un enfant venait de naître et le médecin était allé à son chevet. Celui-ci avait dit aux parents: «Il n'est pas en danger, mais ne tardez pas trop à le faire baptiser.» Les parents ne pouvaient pas se rendre à l'église qui se trouvait à quatre milles. On décida donc de téléphoner à un beau-frère du voisinage lui demandant si le lendemain matin, malgré la tempête, il ne serait pas prêt à se rendre à l'église. Il dit: «Je vais être là à n'importe quel prix. Quand même la tempête rempirerait, comptez sur moi pour sept heures demain matin. Si mon cheval veut étouffer, lui continuera.» Et le bébé a été baptisé à huit heures moins quart ce matin-là, en pleine tempête. Nul ne peut être enfant de Dieu s'il ne renaît de l'eau et de l'esprit.

Emile Legault: Nous passons maintenant à la première communion qui était toute une histoire, tout un événement.

Antonio Arsenault: La mystique de la première communion. Voilà encore une chose que notre modernisme veut «cabocher». Il y a cent, cent cinquante ans, la première communion c'était un événement. Il n'y avait qu'un autre événement plus important, et c'était la visite du curé dans la famille. Si c'était un petit garçon, sa place était réservée dans l'allée centrale. Il portait une cravate blanche et un petit brassard au bras gauche. Les petites filles avaient un voile et une petite couronne en perles blanches sur le front. Je vous confie. Un Beauceron avait été conscrit. Il appartenait à une famille de treize ou quatorze enfants et il était l'avant-dernier. Il avait été conscrit pour la guerre de 1914-18. Dans ce temps-là, on avait eu un système de conscription barbare que je maudis encore. Il a donc fait de l'entraînement militaire et est parti pour le front. Imaginez le déchirement d'âme et de cœur de sa mère qui lui prépare son trousseau et sa valise. Le jeune homme avait dix-neuf ans et depuis sa première communion, pas besoin de vous dire qu'il s'était «dégêné» un peu. Il avait rencontré autre chose que saint Antoine et puis sainte Thérèse de l'Enfant-Jésus; il fallait bien qu'il traverse son âge fou. La veille de son départ, sa mère lui dit: «Tu n'oublieras pas, mon enfant, que j'ai mis dans le coin de ta valise ton brassard et la cravate blanche de ta première communion. Si un jour tu devenais mal pris et en danger, souviens-toi de ça.» Huit mois après, il était rendu au front et gravement blessé. Il voit arriver l'aumônier et je ne vous surprendrai pas en vous disant que cela ne l'a pas beaucoup intimidé. Il souffrait beaucoup. L'aumônier s'est alors empressé de lui offrir les secours de l'Église. Il répondit: «Ah! ça fait une secousse que ça m'intéresse moins». Il souffrait et sacrait un peu à travers ça. L'aumônier lui dit: «As-tu encore ta mère mon ami?» «Oui. Elle m'a dit avant de partir qu'elle avait mis dans ma valise ma cravate blanche et mon brassard de première communion.» Le prêtre dit: «Dans quelle cellule que tu es, toi?» Il a donné le numéro de la cellule et dit: «Ah! mon Père, si vous pouviez aller les chercher et me mettre ma cravate blanche et mon brassard avant que je meure, il ne me manquera rien.» Comprenez bien que l'aumônier a sauté sur l'occasion. Il se dépêche de les chercher dans la valise et revient avec le bon Dieu. Il dit: «Tu vas être beau avec ça, tu vas mourir en paix.» Il lui met la cravate et lui attache son brassard. Le mourant dit, en pleurant et en souffrant: «Mon Père, voudriez-vous me confesser?» «Oui, je veux et puis le bon Dieu aussi sûrement.» Le Père lui a donné la communion et quand il eut avalé la sainte hostie, il dit: «Il ne me manque rien. Vous écrirez à ma mère que je m'en vais au ciel.» Mon Père, on voit là l'importance des signes sensibles, de la mystique, dans la pratique quotidienne de notre foi divine.

Deuxième partie

Autour des pèlerinages et des thaumaturges

Chapitre IV

Les ex-voto marins et les dévotions à sainte Anne

Jocelyne Milot

Emile Legault : Dites-nous tout d'abord ce qu'est un ex-voto.

Jocelyne Milot : Un ex-voto, c'est un objet qu'on offre à une divinité, à un être surnaturel ou à un saint en exécution d'un vœu et en reconnaissance d'une faveur obtenue.

Emile Legault : C'est donc un objet qu'on dédie...

Ill. 38. Ex-voto de M. Georges-Henri Blais. Sainte-Anne-de-Beaupré, 1949.

Ill. 39. Ex-voto de Mme Riverin et de ses enfants. Attribué à Michel Dessaillant de Richeterre, c. 1703.

Jocelyne Milot: ...Et qui devient un objet consacré puisqu'il a rapport avec quelque chose de saint. En fait, un ex-voto, c'est à la fois le signe et la preuve qu'une entente a été respectée entre deux parties: entre le saint à qui on l'offre et la personne qui le donne. C'est un peu la question du donnant-donnant.

Emile Legault: Et cet ex-voto peut prendre différentes formes?

Jocelyne Milot: Il en existe sous forme de tableaux; on en retrouve beaucoup à Sainte-Anne-de-Beaupré. Il y a aussi la maquette qui peut être faite par un marin à sa retraite ou une petite voile en bois que l'on exécute dans ses moments de loisir. Ensuite, on a la plaque qui est plus populaire parce qu'elle se détériore moins vite et occupe peu d'espace dans les lieux saints. Ce sont là les différentes formes d'ex-voto marins que l'on conserve. On pourrait encore trouver une partie du bateau que l'on aurait sauvée du naufrage ou la casquette que le marin pourrait offrir comme étant une partie de lui. Mais quand on veut parler de l'ex-voto en général, on doit aussi mentionner les béquilles et toutes les autres formes de prothèses qui se retrouvent à Sainte-Anne-de-Beaupré,

Notre-Dame du Cap ou à l'Oratoire Saint-Joseph. Ce qui est important dans l'ex-voto, c'est ce don que l'on fait de soi-même.

Emile Legault: Êtes-vous fixée sur le nombre d'ex-voto qui existent?

Jocelyne Milot: Il a déjà existé beaucoup d'ex-voto, mais un grand nombre a disparu à la suite d'incendies d'églises ou de rénovations apportées à celles-ci. Prenons par exemple l'incendie de 1922 qui a détruit beaucoup d'ex-voto, dont plusieurs étaient marins, à

Ill. 40. Ex-voto de M. Napoléon Racine. Sainte-Anne-de-Beaupré, 1922.

Ill. 41. Vénération de la relique de sainte Anne, à Yamachiche, au cours du mois de juillet.

Sainte-Anne-de-Beaupré. Mais, actuellement, nous avons dix-neuf ex-voto marins répertoriés au Québec. Il existe d'autres pièces intéressantes, comme certaines chapelles par exemple, mais les preuves manquent pour dire qu'il s'agit vraiment là d'ex-voto.

Emile Legault: Sur quelles églises avez-vous fait porter vos recherches?

Jocelyne Milot: Le travail s'est fait sur les chapelles et les églises dédiées à sainte Anne. On compte vingt-sept paroisses qui ont choisi sainte Anne comme patronne et elles sont faciles à trouver. Par contre, il existe aussi un certain nombre de chapelles de procession et d'autels dans les églises qui sont dédiés à sainte Anne, mais que l'on a de la difficulté à retrouver. Dans l'histoire du Québec, on a eu souvent sainte Anne comme patronne des missions, mais les missions ont disparu. Les patronymes des paroisses se modifient parfois au cours des ans. J'ai donc commencé par établir une correspondance avec les évêques de la province, puisqu'il m'était impossible de ratisser la province à la recherche d'ex-voto. Ceux-ci m'indiquaient le nom des paroisses les plus anciennes et des paroisses riveraines du fleuve, puisque c'est là que l'on risque de trouver le plus grand nombre d'ex-voto du type marin.

Emile Legault: N'existe-t-il pas à la chapelle Bon-Secours de Montréal un très grand nombre de petits bateaux suspendus à la voûte?

Jocelyne Milot: Notre-Dame de Bon-Secours constitue un véritable phénomène dans le centre ville de Montréal. C'est une chapelle dédiée, elle aussi, à une patronne des gens en péril. La chapelle, on le sait, serait un ex-voto offert par les marins. De plus, elle compte de nombreux ex-voto qui sont des maquettes, des miniatures de bateaux en bois, tous de même format. Ces ex-voto sont très bien exécutés et ils sont suspendus à la voûte de l'église. En fait,

Ill. 42. Ex-voto de M. Juing. Copie faite en 1826 par Antoine Plamondon.

c'est une des chapelles des marins, à Montréal, car il en existe une autre, la Chapelle norvégienne des marins.

Emile Legault: Comment se fait-il, au fond, que sainte Anne soit la patronne préférée des marins?

Jocelyne Milot: Pour expliquer ce phénomène, il faut remonter aux débuts de la colonie et même avant. L'intercession de sainte Anne s'est manifestée très tôt ici. Disons tout d'abord qu'en 1625, en Bretagne, on inaugure l'ère des pèlerinages à Sainte-Anne d'Auray et que plusieurs navigateurs bretons sont venus s'installer ici. En Normandie, d'où nous viennent aussi de nombreux marins, il y avait également une forte dévotion à sainte Anne. Même Jacques Cartier, lors de son voyage de 1535, s'est recommandé à sainte Anne parce qu'en arrivant à Blanc-Sablon, il s'est aperçu que les autres bateaux de sa flotte avaient disparu. Il se pensait seul en terre canadienne; avec ses marins il prie bien fort sainte Anne et les autres navires réapparaissent. Les premières manifestations de la présence de sainte Anne au Canada remontent donc à peu près à 1535. Et les marins, quittant leur Bretagne natale au cours du XVIIe siècle, dès 1625, allaient se mettre sous la protection de sainte Anne. Ils arrivaient donc au Canada animés de cette même ferveur.

Emile Legault: Sainte-Anne d'Auray est-elle en relation étroite avec Sainte-Anne-de-Beaupré?

Jocelyne Milot: Oui, parce que Sainte-Anne-de-Beaupré, si l'on se fie à la légende, aurait été fondée par des marins bretons. Il faut dire que, quand on faisait le trajet de France en Canada à cette époque, c'était tout un périple. Alors, quand les eaux étaient troubles, que la mer était mauvaise, en arrivant à Sainte-Anne-de-Beaupré, un endroit où le fleuve se rétrécissait et se calmait, les marins se sentaient dans un havre de sécurité. Il semblerait donc qu'un jour, étant en détresse, ils auraient fait le vœu de bâtir une chapelle en l'honneur de sainte Anne et ce, au premier endroit où la mer serait calme et où ils pourraient accoster. C'est ainsi que serait née la première chapelle de Beaupré.

Emile Legault: Maintenant, êtes-vous capable de nous définir assez rapidement la portée sociologique de l'ex-voto?

Jocelyne Milot: L'étude des tableaux votifs peut en effet nous en apprendre beaucoup sur une époque et ce, à différents niveaux. Prenons, par exemple, le «Héros du Roi» qui représente d'Iberville.

Ill. 43. « Deuxième commandement de Dieu ». *Catéchisme en images*, Paris, 1908, pl. 31.

Ill. 44. Chapelle des matelots à Sainte-Anne-de-Beaupré, bâtie en 1878.

Ill. 45. Ex-voto des trois naufragés de Lévis. Attribué à Paul Beaucourt, c. 1754.

Cette toile nous permet d'étudier le costume d'un personnage important, costume qui variera dans un ex-voto comme celui des « Trois naufragés de Lévis » où les personnages représentés sont d'une condition sociale beaucoup plus humble. Ensuite, selon qu'on est fortuné ou pas, on n'offrira pas le même genre d'ex-voto. Si on a les moyens d'offrir une plaque de marbre, on ne donnera pas une maquette de bateau en bois. Toutefois, le fait pour un pêcheur de reproduire son bateau peut être quelque chose d'extraordinaire. À l'aide de l'ex-voto, on peut arriver à faire l'étude d'une époque, de ses mœurs et de son costume, mais il peut aussi nous guider dans une étude historique. Ainsi, il peut nous apporter maints renseignements sur la construction des navires au XVIIe siècle. Même si dans ce genre de tableau, il faut accorder une certaine part à l'imagination de l'auteur, il peut, par contre, être très représentatif de la réalité. Il faut considérer que l'ex-voto fixe souvent un moment privilégié du naufrage.

Emile Legault: Et sur le plan psychologique, qu'est-ce que vous y voyez?

Jocelyne Milot: La psychologie expérimentale nous a donné une réponse aussi catégorique que possible là-dessus. Ainsi l'homme qui se trouve dans une situation désespérée deviendra agressif face à l'événement ou bien il sombrera dans un état catatonique suivi de la mort. Cette attitude a été vérifiée chez les soldats menés à baïonnette par des officiers. Dans un moment aussi critique, il n'est pas surprenant, chez un croyant, de voir intervenir une force surnaturelle. On peut même se demander si le naufragé n'atteint pas un véritable état hallucinatoire comme semblent le prouver certaines inscriptions que l'on retrouve sur les ex-voto. C'est peut-être pour cela aussi que les tableaux votifs présentent un saint baigné d'une aura, dont l'attitude varie selon les ex-voto. On tenterait ainsi de fixer un moment précis du phénomène. Toutefois, ce ne sont là que des hypothèses et il faudra attendre encore avant que la psychologie puisse statuer sur de tels faits.

Emile Legault: Et la prolifération des paroisses dédiées à sainte Anne originerait de cette dévotion des premiers habitants du pays?

Jocelyne Milot: On se rend facilement compte que quand Pie IX a nommé sainte Anne patronne du Québec en 1877, c'était avant tout pour répondre à la ferveur des Canadiens. On ne l'imposait pas au Québec où elle était déjà très bien connue. D'ailleurs, l'érection canonique de presque toutes les paroisses consacrées à sainte

Anne remonte le plus souvent avant de décret de Pie IX. Ce n'était pas une tradition imposée par le clergé. Au contraire.

Emile Legault: Je suis de Montréal et je connais Sainte-Anne-de-Bellevue. On n'a certainement pas consacré cette paroisse à sainte Anne à cause des naufrages sur le Lac Saint-Louis.

Ill. 46. Notre-Dame-du-Perpétuel-Secours. Huile sur cuivre de Hélène Métayer, Québec, 1975.

Ill. 47. Chapelle votive de Sainte-Anne-de-Bellevue. La chapelle primitive remonterait à 1710.

Jocelyne Milot: Sainte-Anne-de-Bellevue a été un lieu important dans la vie des forestiers et des voyageurs. Joseph-Charles Taché en fait d'ailleurs mention dans son livre *Forestiers et voyageurs*. Les gens qui partaient pour les pays d'en-haut partaient de Sainte-Anne du Bout-de-l'Île. Cette paroisse a déjà porté aussi le nom de Saint-Louis. Comme le voyage comportait de nombreux rapides à traverser, c'était de bon augure de prier sainte Anne et de s'y recommander. Il y a d'ailleurs de nombreuses légendes qui ont pris naissance autour de Sainte-Anne-de-Bellevue. On raconte ainsi qu'une personne sur le point de périr dans les rapides aurait fait le vœu de bâtir une chapelle à sainte Anne si elle était sauvée. Au même instant, elle se retrouve saine et sauve sur le rivage. On dit que ce personnage pourrait être l'abbé Breslay, qui a été curé à Sainte-Anne-de-Bellevue dans le début des années 1700. On rapporte également le cas d'un curé qui aurait traversé un petit ruisseau gelé, dont la glace aurait cédé sous ses pas. Incapable de s'en sortir, il prie sainte Anne qui lui envoie deux bonshommes pour le dégager de là. Il est ensuite transporté dans une famille où, en tant que curé, il logeait souvent. Pour accomplir son vœu, il dit à son hôte: « À partir de demain, tu vas me bûcher du bois pour ériger une chapelle à côté du ruisseau. » C'est ce qui a été fait et il semble que ce même abbé aurait fait exécuter un tableau qui se trouvait dans l'ancienne église de Sainte-Anne-de-Bellevue.

Ce tableau représentait sainte Anne entourée de naufragés. Enfin, en 1856, on relève une fois de plus l'intercession de la sainte. C'était au moment de la fonte des neiges. Seize barges remplies d'environ cinquante personnes s'en allaient à la dérive. La situation était désespérée et le curé, entouré de toute la population, distribuait sa bénédiction à tous. Une des barges vint se fracasser contre un pilier du port, formant ainsi un barrage providentiel qui a arrêté les autres embarcations. Toute le monde fut sauvé et le capitaine avoua qu'il avait prié sainte Anne et que c'était elle qui avait envoyé de l'aide.

Emile Legault : Maintenant, vous allez me raconter le naufrage de l'Andrea Doria.

Jocelyne Milot: Je pense que l'histoire de ce naufrage va rappeler quelque chose à bien des gens, car il est relativement récent. En fait, il est survenu en 1956. M. Nicolas Massue, un ténor québécois qui a fait carrière en Europe et chanté beaucoup au Metropolitan Opera, était passager de l'Andrea Doria. Il était accompagné de sa mère, madame Alexandrine Massue âgée de 77 ans et de sa nièce, Josette Massue, qui avait douze ans à l'époque. Ils étaient partis d'Italie et le voyage s'était bien effectué quand, rendus à l'île Nantucket près de New-York, surgit une épaisse brume. Pour comble de malheur, les appareils radar cessent de fonctionner et l'Andrea Doria entre en collision avec un bateau des lignes suédoises, le Stockholm. Ce dernier transporte des passagers mais sert aussi de brise-glace. Aussitôt le bateau italien penche sur un côté à 45 degrés. On demande aux gens de sortir des cabines. La moitié des chaloupes de sauvetage sont inutilisables. On tente tout d'abord de sauver les femmes et les enfants. Un prêtre, le Père Kelly, administre les derniers sacrements pendant que deux religieuses récitent le rosaire. Les passagers utilisent des échelles de corde pour se sauver du bateau. Heureusement, le paquebot l'Île de France vient le remorquer. Il y avait plus de 1700 personnes impliquées dans ce naufrage. Dans les journaux de l'époque, on a commencé par parler de huit morts pour en rapporter finalement soixante-douze. La famille Massue n'a pas péri dans ce naufrage et elle a offert une plaque de marbre à la chapelle Sainte-Anne-de-Varennes. Mais ce qui est intéressant dans ce naufrage, c'est l'attitude de la jeune Josette Massue. Avant même le naufrage, au moment de l'embarquement, elle avait piqué une crise. Elle ne voulait pas monter sur le bateau. Son oncle la réprimandait et essayait de la calmer en même temps. Le capitaine du bateau vient voir ce qui se passe et elle lui dit que le bateau va couler. Le capitaine lui répond qu'un tel bateau ne coule pas, mais elle lui cite le cas du Titanic. Elle fait donc le voyage et au moment du naufrage elle se sent vengée. Personne ne l'avait crue et, pourtant, elle disait la vérité.

Emile Legault: Et c'est à la suite de ça qu'elle a fait fabriquer un ex-voto?

Jocelyne Milot: Ce n'est pas elle mais son oncle et sa grand-mère. Ils ont offert une plaque de marbre, avec des lettres dorées et gravées, à la chapelle de procession de Varennes, parce qu'ils étaient originaires de cette paroisse. C'est pourquoi, cette chapelle possède un ex-voto marin qui relate le lieu et la date du naufrage, le nom des personnes qui ont été sauvées et la promesse à sainte Anne.

Emile Legault: C'est surprenant de voir l'attitude des gens au moment d'un naufrage.

Jocelyne Milot: Oui. Ils sont angoissés. Le naufragé est aux prises avec les forces de la nature. Il se débat mais il ne peut absolument rien faire par lui-même. Si la mer ne se calme pas, si les épaves auxquelles il se raccroche cèdent, il est foutu. Il n'a plus alors qu'un seul espoir et il lui vient de l'au-delà. Cet espoir, pour eux, c'était sainte Anne.

Chapitre V

L'Oratoire Saint-Joseph et le Frère André

Marie-Marthe Brault

Emile Legault: Madame Brault, vous vous êtes attardée à l'étude de l'Oratoire Saint-Joseph. Est-ce que je pourrais connaître un peu la démarche que vous avez entreprise pour écrire cette thèse?

Marie-Marthe Brault: Comme l'Oratoire se trouvait tout près de chez moi, j'ai cru qu'en faire l'étude serait intéressant. J'ai pensé étudier ce sanctuaire de pèlerinage comme les ethnologues étudient La Mecque, les religions ou les mythologies des sociétés qui nous sont étrangères, qui sont éloignées de nous par leur culture.

Emile Legault: Et, au départ, forcément, vous avez rencontré le Frère André.

Marie-Marthe Brault: Oui, car il est très lié à tout ce qui a entouré l'édification de l'Oratoire. Tout d'abord, on a donc le collège Notre-Dame, qui est situé en face de la colline sur laquelle s'élève l'Oratoire, où le Frère André a été portier pendant quarante ans. Il est très difficile de savoir comment tout a commencé mais on a des témoignages de collégiens, qui étaient pensionnaires, et de leurs parents qui auraient été témoins de guérisons opérées par le Frère André.

Emile Legault: Mais, à ce moment-là tout le monde n'était pas d'accord avec son travail de guérisseur. La faculté de médecine et certains de ses confrères sont d'ailleurs entrés en conflit avec lui. On ne le voyait pas d'un très bon œil. Mais, enfin, comme vous le disiez, le collège Notre-Dame achète le terrain qu'on appelle l'Oratoire. D'ailleurs, un des supposés guéris du Frère André, le Frère Aldéric, avait déposé, semble-t-il, une médaille de saint Joseph dans un tronc d'arbre pour que la vente se fasse rapidement et c'est pour ça qu'on a tout de suite appelé ce parc, le parc Saint-Joseph.

Ill. 48. Le Frère André.

Il y avait déjà comme une sorte de prémonition de ce qui arriverait. D'ailleurs il faut dire, au départ, que la communauté des Frères de Sainte-Croix portait le nom de Frères de Saint-Joseph. Mais, enfin, quand le Frère André est-il devenu responsable d'un premier sanctuaire ?

Marie-Marthe Brault : Le Frère André lui-même a ramassé l'argent pour construire le petit oratoire Saint-Joseph.

Ill. 49. Le Frère André, portier au Collège Notre-Dame.

Emile Legault: Vous voulez dire que les deux cents premiers dollars qu'il a dépensés, c'était le produit...

Marie-Marthe Brault: ... de la coupe des cheveux qu'il faisait aux collégiens!

Emile Legault: Je pense bien qu'à ce moment-là le Frère André, par son contact presque constant avec le grand public, avait dû être pressenti comme un grand priant et ses premiers clients étaient tous en quête, au fond, de faveurs. C'est ça qui les a attirés, au départ, autour du Frère André?

Marie-Marthe Brault: Ce qui les attirait, évidemment, c'était ce personnage qui avait une réputation de grande sainteté et qui pouvait les guérir instantanément. Le chanoine Catta lui-même, que je cite dans ma thèse, dit qu'avant de devenir des pèlerins, les personnes qui se présentaient à l'Oratoire venaient d'abord consulter un guérisseur. Et c'est le Frère André qui, ensuite, dirigeait les gens vers l'Oratoire pour les envoyer remercier ou prier saint Joseph.

Ill. 50. Le Frère André au moment de sa première communion.

Ill. 51. «Souvenir de l'Oratoire St-Joseph du Mont Royal». Fonds Villeneuve, CELAT, Université Laval.

Emile Legault: Il y a un aspect dans votre thèse que vous avez volontairement négligé et c'est l'aspect de la dévotion du Frère André pour la Passion du Christ. On racontait qu'il lui arrivait de s'arrêter au moment du défilé des clients pour parler du Christ et de la Passion. Alors, on assimile facilement le nom du Frère André à celui de saint Joseph, mais on oublie le rapport beaucoup plus étroit entre le Frère André, la Passion et le Christ. Au départ, c'est vrai que la première démarche des clients du Frère André était intéressée, mais je me demande aussi s'il n'y a pas une autre corrélation attachée aux pèlerins de l'Oratoire, qui ne vont pas à la messe nécessairement pour obtenir des faveurs temporelles ou spirituelles, mais pour se rapprocher de Dieu dans une ambiance que le Frère André a réussi à créer par sa dévotion personnelle.

Marie-Marthe Brault: Je crois que ce sont d'abord des pèlerins privilégiés qui ont dû pouvoir bénéficier de ces longues conversations avec le Frère André, parce qu'il devait certainement discerner parmi ses clients ceux qui étaient plus ou moins réceptifs.

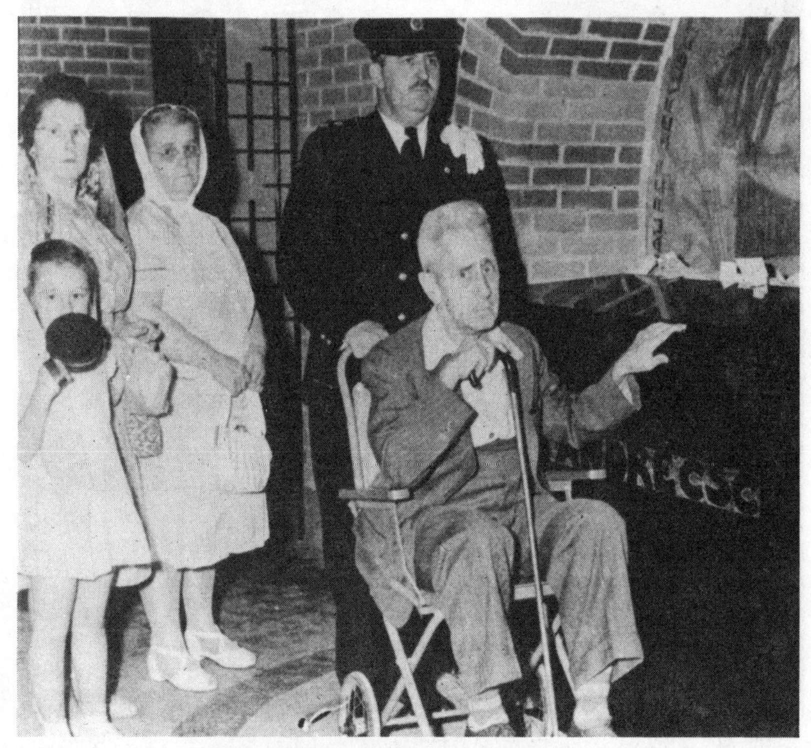

Ill. 52. « Un invalide touche le tombeau du Frère André ».

Ill. 53. « Saint Joseph du Mont-Royal ». Fonds Villeneuve, CELAT, Université Laval.

Car ce qui attire les gens vers un sanctuaire de pèlerinage, c'est son caractère exceptionnel, ce qui ne veut pas dire que ça ne les conduira pas à se rapprocher de Dieu ou à avoir des contacts plus intimes avec une divinité, quelle que soit d'ailleurs la religion. C'est un endroit où l'on s'attend à obtenir la réalisation d'un vœu ou d'une guérison. Mais les gens ne demandent pas toujours des guérisons. Par l'analyse que j'ai faite des feuillets sur lesquels les gens inscrivent leurs demandes, on voit que la majorité de ces demandes sont d'ordre matériel. Elles concernent un emploi à trouver, de l'argent qui manque ou la santé. Le sanctuaire de pèlerinage est en fait un pallier intermédiaire; c'est une forme de contact avec Dieu ou avec les dieux, quelle que soit la forme qu'ils prennent, qui est la plus près des gens.

Emile Legault: Votre thèse, c'est que, pour l'homme de tous les jours, le Frère André représentait une sorte de pallier intermédiaire entre lui et le Dieu inaccessible et lointain en apparence, en tout cas pour plusieurs, alors qu'il était très présent. Le Frère André était donc l'homme intermédiaire, n'est-ce pas?

Marie-Marthe Brault: Oui. D'ailleurs je me suis rendue compte, en analysant la description physique des lieux, que saint Joseph, qui n'est pas un thaumaturge dans la théologie catholique, est pourtant présenté dans son aspect de thaumaturge et même d'être humain. J'ai eu l'impression qu'à l'Oratoire, on le présentait à la fois comme un thaumaturge pouvant répondre à nos besoins de tous les jours et comme un être très près de la personne humaine et quotidienne que nous sommes.

Emile Legault: Saint Joseph est patron de l'Église universelle et cela a été proclamé depuis longtemps. Je me disais qu'il n'était peut-être pas contre-indiqué qu'un temple à dimension et à vocation internationales soit consacré au patron de l'Église universelle. Le Pape Jean XXIII, d'ailleurs, au cours du Concile, avait éprouvé le besoin d'ouvrir le canon de la messe pour introduire le nom de saint Joseph. On pourrait peut-être parler aussi de l'interprétation, de l'exégèse du miracle. Je pense qu'il y a un tas de faveurs rapportées à l'Oratoire qui ne sont pas nécessairement des miracles au sens rigoureux du mot. Je pense que les miracles sont rares. Mais est-ce qu'il ne peut pas y avoir une sorte de coup de pouce donné à l'évolution psychosomatique d'une personne malade, par la confiance et la foi qu'elle met dans l'intervention de saint Joseph par exemple?

Ill. 54. « Saint-Joseph du Mont-Royal ». Fonds Villeneuve, CELAT, Université Laval.

Marie-Marthe Brault: Oui. D'ailleurs, pour moi, le miracle c'est ça. Ce qui est important, c'est la perception personnelle qu'a l'individu face à l'événement qu'il attend. C'est d'ailleurs un peu ce que préconisait le sociologue Marcel Mauss quand il disait que la magie, le miracle, le merveilleux et le miraculeux ne résident pas nécessairement dans les dons d'une personne en particulier, mais dans les rapports qu'il peut y avoir entre soi et cette personne que l'on investit de dons particuliers et en laquelle on met toute sa confiance. C'est évident que pour des cas de maladies psychosomatiques, on peut même certainement se sentir complètement guéri, mais, habituellement, ce n'est pas vérifiable médicalement.

Emile Legault: Mais il y a maintenant plusieurs années que le Frère André est mort. Il a eu des funérailles retentissantes et je me rappelle la réflexion d'un évêque, Mgr Limoges, qui me disait: « Jamais un cardinal n'aura des funérailles comme celles-là. » Il était donc entré dans le cœur des gens. Le Frère André est mort depuis plusieurs années et cependant on peut dire que le flot des pèlerins continue à l'Oratoire et que ces pèlerins se recrutent pas mal chez les jeunes. Là, je ne sais pas si la sociologue est concernée, mais comment expliquez-vous ça? Est-ce que vous ne pensez pas que, justement par l'intermédiaire du Frère André, par

Ill. 55. *Pèlerinage*. Foule des pèlerins à l'intérieur de la basilique de l'Oratoire pour célébrer l'anniversaire de Fatima, le 13 octobre 1960.

Ill. 56a. « Les ouvriers vont offrir leurs outils à S. Joseph... »

Ill. 56b. « La bénédiction des outils de travail ».

sa piété personnelle, par sa vie de sainteté indiscutable, on a réussi à bâtir un haut lieu spirituel qui servira, à l'avenir, à des rassemblements de gens qui vont là, non pas nécessairement pour obtenir des miracles ou des faveurs temporelles, mais pour retrouver un sens du surnaturel à l'état pur dont on poursuit actuellement la recherche dans le vacuum spirituel que nous connaissons. Qu'est-ce que vous en pensez?

Marie-Marthe Brault: Ce n'est pas la sociologue qui va vous répondre parce qu'il me faudrait des données que je n'ai pas. Celles que j'avais me conduisaient à la conclusion que c'était le souvenir de ces milliers de miracles, qui avaient eu lieu ou qu'on racontait avoir eu lieu, et de cette personnalité de thaumaturge et de saint plus puissant que les autres dont on avait investi la personnalité spirituelle de saint Joseph, qui continuaient à faire affluer les pèlerins. Dans mon esprit, au moment où j'ai fait mon étude, j'avais l'impression que le public de l'Oratoire pouvait changer, mais que c'était toujours la même perception du religieux qui l'y amenait c'est-à-dire une perception qui ne reposait pas en fait sur un contact direct avec Dieu, mais qui s'exerçait par l'intermédiaire de ces saints et de ces personnes qui ont des pouvoirs exceptionnels, au-dessus des nôtres. Maintenant, le phénomène peut avoir évolué.

Emile Legault: J'ai tout de même été surpris quand j'ai vu dans votre thèse cette espèce de distinction que vous établissez entre la religion, le monde surnaturel selon la théologie, et la conception que se faisaient les pèlerins du monde surnaturel.

Marie-Marthe Brault: La majorité des gens, je crois, conçoivent la religion comme ça. C'est peut-être pour ça qu'on parle maintenant de religion populaire. Et le phénomène religieux dont vous parlez, qui est vraiment l'essentiel, l'essence du contact avec un dieu qui est le sacré, j'ai l'impression que c'est rare et qu'on n'en n'est pas conscient. C'est dans ce sens que je me réfère à Redfield, qui dit que l'on sait probablement beaucoup mieux ce que pense l'indien d'une tribu Navajo ou de Montagnais parce qu'on a scruté, par des études bien fouillées, toute sa philosophie de la vie ou sa vision du monde. Vis-à-vis de la religion, c'est probablement la même chose; il faudrait peut-être davantage passer par ces religions populaires. Il y a peut-être aussi une évolution dans l'esprit humain, même s'il y a des éléments que nous ont laissés nos ancêtres qui vont toujours demeurer en nous.

Emile Legault: Je pense que oui. Nous sommes condamnés à voir constamment renaître cette conception peut-être un petit peu trop pragmatique de la religion.

Marie-Marthe Brault: Je dirais que, dans le cadre de cette nouvelle approche des phénomènes de religion populaire, les sanctuaires en général et l'Oratoire en particulier sont des sortes de palliers intermédiaires entre le monde naturel et surnaturel, qui peut sembler inaccessible à une bonne partie de la population.

Emile Legault: Est-ce qu'on pourrait employer l'expression de lieu spirituel privilégié ?

Marie-Marthe Brault: Un lieu spirituel privilégié, mais privilégié parce qu'il s'y passe des événements exceptionnels, extraordinaires. Alors, ça pondère un peu le terme spirituel que vous employez.

Emile Legault: Le Père Bernard a écrit aussi une thèse là-dessus et voici sa théorie. Le pèlerinage, pour lui, c'est le moyen, c'est une réponse à ce qu'il appelle l'aliénation des malades et des infirmes. À ce moment-là, les malades ne se sentent pas aussi marginaux qu'à la maison ou à l'hôpital. Pour lui, c'est une manière d'amener ces gens à se serrer les coudes, à s'encourager les uns les autres, parce qu'ils ont rencontré leurs confrères et leurs consœurs. Mme Marie-Marthe Brault, vous avez aussi écrit un volume sur *Monsieur Armand, guérisseur*. Qui est-il ?

Marie-Marthe Brault: Je vous avoue que c'est un petit peu la suite de ce que j'avais fait dans ma thèse de maîtrise sur l'Oratoire,

Ill. 57. « Le pèlerinage des malades à la basilique ».

parce que j'ai connu Monsieur Armand pendant que je travaillais à l'Oratoire. Dès ma première visite, je m'étais trouvée en présence d'une séance de guérison publique où il y avait une trentaine de malades réunis. Cette collectivité m'a rappelé beaucoup les séances de guérison, les cures chamaniques dans les sociétés amérindiennes.

Ill. 58a. Différentes images du Frère André. Fonds Villeneuve, CELAT, Université Laval.

Ill. 58b. Différentes images du Frère André. Fonds Villeneuve, CELAT, Université Laval.

Ill. 58c. Différentes images du Frère André. Fonds Villeneuve, CELAT, Université Laval.

Les chamans étant des sortes de guérisseurs mais aussi de prêtres dans les sociétés amérindiennes, ils ont une fonction de guérisseurs très importante et leurs séances de guérison ont toujours lieu en public, avec les amis, les parents, les voisins, ce qui crée entre le guérisseur et son client une sorte de communauté de pensée et de prière qui aide le malade.

Emile Legault: Et quels liens établissez-vous entre Monsieur Armand, guérisseur, et le Frère André?

Marie-Marthe Brault: En fait, il y en a peu. Le seul lien que j'ai établi, c'est que Monsieur Armand disait avoir été guéri par le Frère André quand il était jeune. Les liens ne sont donc pas très étroits, en ce sens que Monsieur Armand n'a rien d'un personnage religieux; le phénomène religieux vient beaucoup plus de l'attitude de confiance et de foi qui se dégage de la communauté qui l'entoure. Quant à lui, c'est un ancien fermier qui ne fait des guérisons que depuis quelques années. Par l'observation que j'en ai faite régulièrement pendant un an, j'ai pu voir ce qui se passait entre une collectivité, le groupe de malades, et un guérisseur. Comme le dit Marcel Mauss, le phénomène des guérisseurs, lui dit de la magie, ne réside pas dans les qualités intrinsèques qu'un individu possède, mais plutôt dans les qualités qu'une collectivité lui confère. D'ailleurs Lévi-Strauss, qui parle justement d'un guérisseur amérindien, dit de lui qu'il n'est pas devenu un grand sorcier parce qu'il guérissait ses malades, mais qu'il guérissait ses malades parce qu'il était devenu un grand sorcier. Sorcier est employé ici dans le sens de médecin, il s'agit de sorcellerie blanche. Il veut dire, en fait, que ce n'est pas parce qu'il avait guéri beaucoup de monde qu'on croyait en lui, mais on avait décidé un jour, à cause des circonstances, que c'était un guérisseur. La collectivité ayant décidé que c'était un guérisseur, il s'était créé une sorte de courant de foi, de confiance, qui fait que les gens allaient le voir et étaient effectivement guéris. D'ailleurs, dans mon étude sur Monsieur Armand, je ne pose aucun jugement de valeur; je fais une sorte de journal où je décris ce que j'ai vu. Je n'ai eu connaissance d'aucune guérison spectaculaire, mais les gens y vont, reviennent le voir et semblent satisfaits et heureux.

Emile Legault: Quel est le climat de ces rencontres? Est-ce un climat un peu carnavalesque ou très pieux?

Marie-Marthe Brault: C'est entre les deux. Ce n'est pas un rituel parce que, à ce point de vue, une cure chamanique est beaucoup plus évoluée, dans le sens de civilisée, ritualisée, parce qu'elle repose sur des générations de pratique. C'est un peu comme une cérémonie religieuse. Le chaman a un costume, des accessoires, un rituel prévu à l'avance, alors que chez Monsieur Armand, ça s'est improvisé au fur et à mesure de l'interaction qui s'établissait entre le guérisseur et ses clients. On ne sait donc pas si tel rite qu'on a ajouté est venu des clients ou si c'est Monsieur Armand qui l'a suggéré. Mais il y a un rituel, en ce sens que le malade entend en entrant des gens qui récitent le chapelet parce que le guérisseur l'a demandé au groupe, surtout quand il est devant un cas difficile, un «gros cas» comme il dit, habituellement un cas de cancer ou de paraplégie.

Emile Legault: Est-ce qu'il s'est expliqué sur cette vocation qu'il s'est donnée ou à laquelle il obéit?

Marie-Marthe Brault: C'est très difficile de le savoir parce qu'ils ne dialogue pas facilement; il a beaucoup de difficultés à s'exprimer et à analyser ce phénomène. Il prend les choses comme elles viennent. Tout ce que je peux dire, c'est que, à l'observer, il ne semble pas dégager de magnétisme pouvant, par exemple, influencer le malade psychosomatique et le soulager instantanément. D'ailleurs, chacune des séances avec les clients est très longue; c'est un homme jovial et qui prend tout son temps. Il existe donc entre lui et son client un contact personnel très humain, que bien des malades ne peuvent pas avoir avec leur médecin.

Emile Legault: Et chaque malade passe individuellement?

Marie-Marthe Brault: Oui, mais devant tout le monde. Et même si le malade parle à voix basse, Monsieur Armand, dans sa prière, demande à saint Joseph de le guérir, et il mentionne alors le nom de la maladie. Il y a donc une sorte de communion qui s'établit entre le guérisseur et son malade, et entre le malade et le reste de la collectivité.

Emile Legault: Selon vous, existe-t-il un fond de vraie foi chez ceux qui fréquentent Monsieur Armand ou tout cela n'est-il que le jeu d'une interaction des malades les uns sur les autres?

Marie-Marthe Brault: Je crois qu'au départ les gens doivent être croyants et pratiquants pour aller voir ce guérisseur plutôt qu'un autre. Il y a aussi, et c'est certain, un phénomène purement psycho-social d'interaction entre les malades et le guérisseur.

Chapitre VI

Le sanctuaire de Notre-Dame du Cap-de-la-Madeleine ou la construction du merveilleux

René Bouchard

Emile Legault: René Bouchard est né au Cap-de-la-Madeleine. Il était inévitable qu'il se penche un jour ou l'autre sur le pèlerinage de Notre-Dame du Cap. Tu as donc vécu dans l'ambiance du pèlerinage toute ta jeunesse?

René Bouchard: Les grandes dévotions du mois d'août au sanctuaire avec les processions aux flambeaux et les pèlerins venus d'un peu partout, c'est une atmosphère qu'on ne peut pas oublier.

Emile Legault: Tu as fait une étude du pèlerinage et tu vas nous en parler.

René Bouchard: Au point de départ, pour situer un peu le sanctuaire du Cap, il serait bon de remonter dans le temps pour expliquer l'origine du nom du Cap-de-la-Madeleine. Il tire son nom d'une concession faite en 1636 à Jacques de Laferté qui était abbé à Sainte-Marie-Madeleine, à Châteaudun, en France. On a donc appelé sa seigneurie la Seigneurie de la Madeleine, du Sieur de la Madeleine, et le Cap-de-la-Madeleine par la suite. Cette seigneurie a été remise aux Jésuites en 1651 par le Sieur de Laferté, «pour le zèle qu'ils avaient de l'établissement de la foi». Les Jésuites s'en sont occupé assez activement, tant du point de vue religieux que civil. En 1678, l'année de l'érection canonique du Cap, les Jésuites ont passé la cure aux Récollets qui la desservirent jusqu'en 1685. C'est à ce moment-là qu'arrive l'abbé Paul Vachon, le premier curé du Cap. C'est lui qui a fait ériger la vieille église, le vieux sanctuaire de 1714. À la mort de l'abbé Vachon, le Cap-de-la-Madeleine se trouvera sans pasteur pendant cent quinze ans.

Ill. 59a. Notre-Dame du Cap-de-la-Madeleine. Coll. Robert-Lionel Séguin.

En 1864, lorsqu'arrive l'abbé Désilets, on peut dire que le Cap-de-la-Madeleine revient à la vie religieuse. Le curé Luc Désilets est un personnage assez controversé, haut en couleur, qui a été, en même temps que curé du Cap, secrétaire de Mgr Laflèche. C'est un homme qui a participé activement à toute la querelle ultramontaine qui opposait Mgr Laflèche et Mgr Bourget à Mgr Taschereau de Québec. Il y a tellement participé que les gens de Québec le traitaient de «fanal de tôle de Mgr Laflèche», c'est-à-dire d'un personnage peu lumineux. Parallèlement à ce travail intellectuel, M. Désilets s'est occupé de sa cure, mais en éprouvant au début beaucoup de difficultés. Quand on fouille dans les archives du sanctuaire et qu'on lit les registres de la confrérie du Rosaire écrits par M. Louis-Eugène Duguay, vicaire du curé Désilets, on ressent entre les lignes le découragement du curé face à la tiédeur religieuse de ses paroissiens. Mais il se produira, à un moment donné, un événement qui, semble-t-il, aura beaucoup de répercussions, en terme d'encadrement, sur la piété des fidèles. Je laisse l'abbé Duguay nous relater cet incident-là:

> «Voici ce que racontait un jour le très révérend Luc Désilets arrivé ici en 1864, devant moi et l'assistance des confrères du St-Rosaire. Le trait est assez original. Dans tous les cas, ç'a été comme le signal d'un renouvellement complet de cette paroisse. La veille de l'Ascension qui est le douzième mystère du St-Rosaire, M. le curé Luc Désilets revenait de la sacristie, sur le soir, sans avoir vu une seule personne qui désirât se confesser la veille d'une si grande fête. Passant devant l'église, il entre et voit devant la chapelle du St-Rosaire un pourceau tenant un chapelet dans sa gueule. Il chassa, il va sans dire, le vilain animal, lui ôta le chapelet qu'il tenait, se disant les hommes ont laissé tomber le chapelet et les pourceaux le ramassent. Il étudia alors la confrérie, la prêcha et les prodiges qu'il obtint de la Reine du St-Rosaire par les roses bénites et par les prières des associés sont innombrables et beaucoup sont du domaine public».

C'est un texte très intéressant parce que son auteur nous signale le premier des faits merveilleux qui entoureront la fondation et la promotion du sanctuaire.

Emile Legault: Est-ce qu'on pourrait s'arrêter un instant sur le caractère du curé Désilets? Était-il cet homme plus ou moins salaud dont on parlait?

René Bouchard: Je ne le pense pas. Il faut comprendre qu'on était dans une période de grande controverse au sein de l'Église. Les prêtres étant des hommes comme les autres, l'invective fuse parfois assez facilement, surtout quand on se traite d'égal à égal

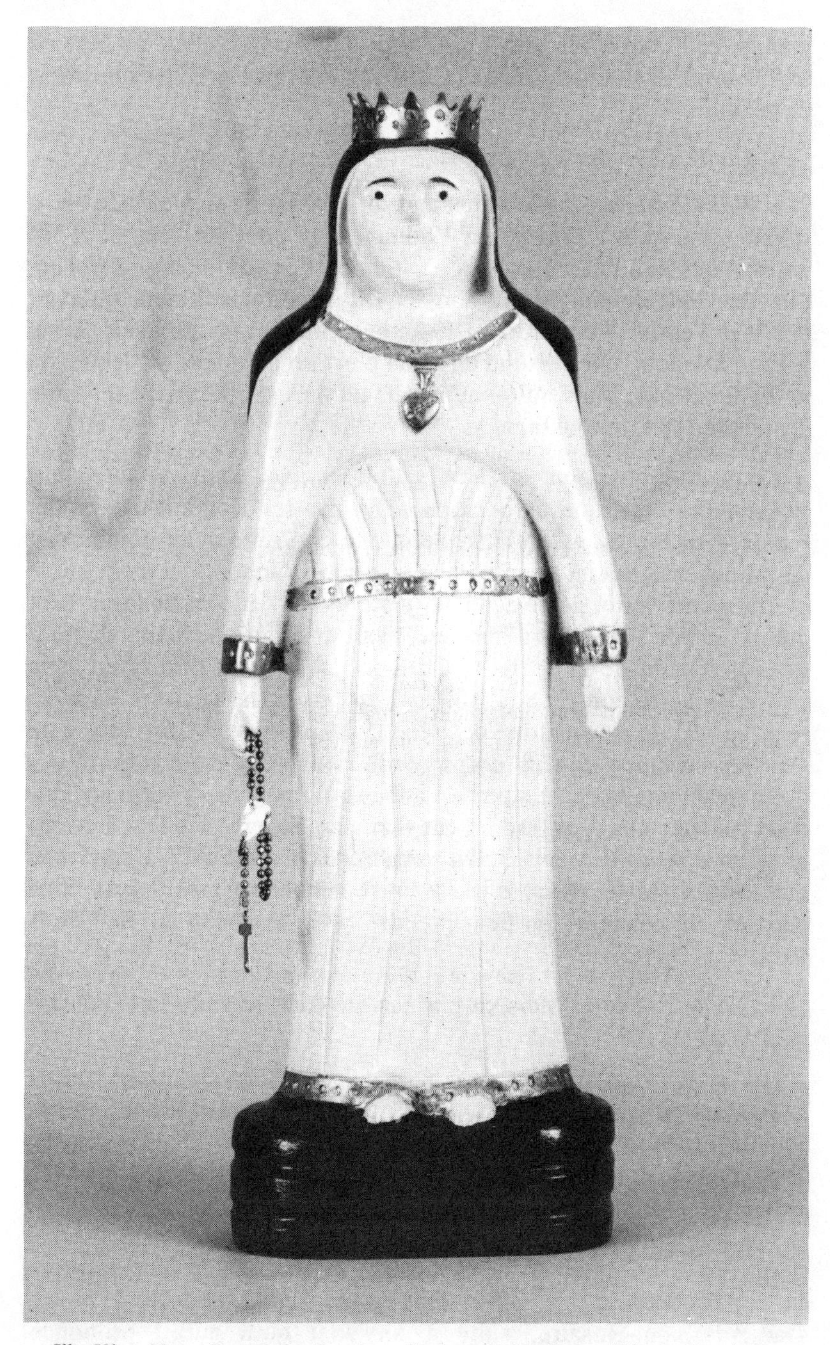

Ill. 59b. Notre-Dame du Rosaire. Sculpture de Oscar Héon, Cap-de-la-Madeleine.

comme ce l'était à ce moment-là. Mais il apparaît comme un homme très énergique, radical, bûcheur, qui ne jouait pas avec les questions de religion.

Emile Legault: Un spirituel?

René Bouchard: Certainement un homme de très grande spiritualité. Mais c'est l'image de l'homme dur pour lui, dur pour les autres, qui m'a frappé et qui s'est fixée dans la mémoire collective des Madelinois. Je me souviens d'un enregistrement qu'avait fait Mgr Tessier, vers 1930 ou 1940, avec un témoin qui avait connu le curé Désilets. On l'entend dire que c'est un homme avec lequel on ne badinait pas, mais qu'on admirait, qu'on estimait parce qu'on le sentait sérieux, authentique.

Il serait peut-être bon aussi de s'attarder à la confrérie du Saint-Rosaire qui était une association régie par les Dominicains et qui remonte au moins au XVIe siècle. Cette confrérie avait comme but de propager la dévotion au rosaire. Le curé Vachon, qui avait été le premier curé après les Récollets, juste avant cette période de cent quinze ans de silence et d'absence, avait déjà fait une demande pour l'établissement de la confrérie du Saint-Rosaire au Cap. Pour faire partie de cette confrérie, il suffisait de poser sa signature dans un registre et de promettre de réciter le rosaire. Alors, le curé Désilets se lance donc à corps perdu dans cette nouvelle affaire; il étudie la confrérie et suscite l'adhésion des gens, à tel point que deux ou trois ans plus tard il peut écrire au général des Dominicains pour lui dire qu'il a déjà 3,000 membres. Quand l'abbé Duguay dit que cela a été le signal d'un renouvellement religieux dans cette paroisse, je pense qu'on peut prendre cette assertion au pied de la lettre.

Emile Legault: Mais ça n'a pas été tout de suite le début des pèlerinages.

René Bouchard: Non. Pas du tout. Cela a été la phase initiale du renouvellement religieux de cette paroisse. Le contexte immédiat du pèlerinage est relié à la construction de la deuxième église. À ce moment-là, le Cap-de-la-Madeleine compte environ 1,300 paroissiens et la vieille église de 1714 est vraiment trop petite pour les contenir tous. Alors, le curé Désilets entreprend la construction d'une église plus grande qu'il dédiera à Notre-Dame-du-Saint-Rosaire, suite à un vœu qu'il aurait prononcé. Mais cette construction ne s'est pas faite sans mal. La pierre dont on voulait se servir pour construire cette église était levée sur la rive sud. Comme le Cap-de-la-Madeleine est situé sur la rive nord, qu'il n'y avait pas de pont à l'époque et que charroyer la pierre en barque c'est long et qu'on était en hiver, on espérait beaucoup du pont de glace qui se faisait chaque année. Mais le pont de glace s'est formé trop haut et les Madelinois n'ont pas pu s'en servir; de plus, il y a eu de brusques dégels de sorte que ce pont-là, le seul qu'ils avaient, s'est disloqué. Ce n'était pas assez solide.

Ill. 60. *Le prodige du pont de glace*. Peinture de J.-L. Dubois, Cap-de-la-Madeleine.

D'après les témoignages qu'on peut lire, ç'a été quasiment une épopée. Les gens récitaient le chapelet et demandaient que le pont puisse se faire. Le printemps s'en venait, on était en mars et, comme c'était du temps doux qui s'annonçait, on ne croyait plus tellement qu'il puisse se former. En l'espace d'une journée, le vent devient froid et la neige tombe. Alors, là, c'est absolument fantastique à lire et absolument incroyable! Le curé Désilets était au presbytère et vers onze heures du soir, le vicaire Duguay décide d'aller explorer la glace. Il avait remarqué qu'il y avait plusieurs bancs de glace qui s'étaient accumulés juste à l'endroit souhaité. Il est donc parti avec quelques hommes et voici le récit qu'il a fait de cette expédition:

> «Pendant le trajet, nous avons constaté qu'entre les débris de vieille glace sur laquelle nous aimions à faire halte, il n'y avait que de la neige flottante soutenue par des phrasies, à travers lesquels nous entendions bruire le courant du fleuve. Notre pied s'enfonçait quelques fois et en le retirant nous nous efforcions d'atteindre le plus tôt possible quelques-uns de ces débris de glace ci-dessus mentionnés. J'enfonçais la canne que je tenais dans ma main dans le courant du fleuve partout où je voulais dans cette neige flottante. Pour faire le pont de glace, il fallait imbiber d'eau la neige sèche qui empêchait la gelée. Les hommes arrosaient d'eau le chemin et ce qui prouve qu'il n'y avait pas de glace c'est que l'eau retournait dans le courant du fleuve à mesure. Je ne peux pas expliquer comment j'ai exposé tant d'hommes à une mort certaine. Le 19 mars, jour de la fête de St-Joseph, pendant la grand-messe qui ouvrait la corvée du charroya-

Ill. 61. *Le pont des chapelets*. Peinture de Raymond Lasnier, Trois-Rivières.

ge de la pierre, ce fut comme un bandeau qui tomba de mes yeux. Alors, je vis sous son vrai jour ce qui avait été accompli et alors, je ne puis retenir mes larmes abondantes».

Il faut imaginer l'événement en pensant au nombre incroyable de pierres que ça doit prendre pour construire une église, même si elle n'avait pas les dimensions de celle d'aujourd'hui. Ils ont eu leur pierre et ils ont réussi à tout ramener de la rive sud à la rive nord et là, élément spectaculaire, le dernier voyage traversé, le pont se désagrège. Il y avait de quoi frapper l'imagination de ces gens. À cause des prières qui avaient accompagné le transport des pierres, M. Désilets nomme le pont le glace, «la traverse des chapelets», d'où ce fameux pont des chapelets qu'on voit actuellement et qui a été construit par Aristide Beaugrand-Champagne.

Les gens sont donc d'abord venus en qualité de simples individus, par curiosité. Parallèlement à ça, le bruit se répand des faveurs obtenues par cette fameuse confrérie du Saint-Rosaire qui donnait de l'eau bénite à boire; cela faisait probablement partie des rites fixés par la confrérie. Alors on peut vraiment dire que l'ère des pèlerinages commence après le pont de glace.

Emile Legault: Au point où nous en sommes, René, ce n'est pas encore un pèlerinage officiel, mais plutôt une démarche isolée et spontanée, n'est-ce-pas?

René Bouchard: Oui. Mais déjà en 1883, on assiste au premier pèlerinage organisé. Mais ce sont des pèlerinages à caractère plutôt diocésain, regroupant des gens venant de Trois-Rivières et du Cap-de-la-Madeleine. C'est en 1888 que les choses vont se préciser et que l'orientation du sanctuaire va s'inscrire dans les faits. Le curé Désilets, qui avait promis de dédier à Notre-Dame-du-Très-Saint-Rosaire l'église de 1714, devra retarder son projet jusqu'en 1888. Cette année-là, grand remue-ménage: on retape toutes les boiseries et on refait les dorures. La statue qui, jusque là, avait été sur un autel latéral est déménagée sur l'autel central, pour marquer d'une façon officielle le vœu du curé Désilets.

Ce qui donnera à cette statue toute sa dimension miraculeuse, c'est le fait qu'elle bouge les yeux. Je vais vous donner, si vous me le permettez, la déclaration qu'un des témoins oculaires fait de ce «miracle». M. Pierre Lacroix avait accompagné ce soir-là le curé Désilets et le Père Frédéric au sanctuaire. (Le Père Frédéric revenait de Palestine et avait travaillé avec les abbés Désilets et Duguay à l'établissement du sanctuaire). Alors M. Lacroix dit ceci:

Ill. 62. Le sanctuaire, lieu de pèlerinage national. Fonds Villeneuve, CELAT, Université Laval.

« Je, Pierre Lacroix, ingénieur, résidant en la cité des Trois-Rivières, déclare solennellement que : dans le mois de juin de l'année on faisait une grande fête religieuse dans le sanctuaire de Notre-Dame du Saint-Rosaire au Cap-de-la-Madeleine, parce qu'on venait d'installer ce jour-là sur le maître-autel la statue de la Sainte-Vierge, laquelle statue avait toujours jusque là occupé la chapelle latérale comme autel de la Confrérie du Saint-Rosaire. Je suis entré dans le sanctuaire vers sept heures du soir accompagné de M. le grand vicaire Luc Désilets et du très Révérend Père Frédéric. Je marchais entre eux deux et aidé d'eux. Nous avons été nous mettre au balustre devant le maître-autel sur lequel on avait placé la statue. M. le grand vicaire, le très Révérend Père à genou et moi, assis entre les deux sur un siège placé pour cela car je ne pouvais me mettre à genou à cause de mes infirmités. Là, après m'être mis en prières, je jetai la vue sur la statue de la Sainte Vierge qui se trouvait en face de moi et aussitôt j'aperçus très distinctement les yeux de la statue grandement ouverts mais d'une manière naturelle et comme si elle eût regardé au-dessus de nous et me paraissant regarder les Trois-Rivières. J'examinais cela sans rien dire lorsque le grand vicaire Désilets laissant sa place qui était à ma droite se rendit auprès du Père Frédéric et je l'entendis lui dire : « Mais voyez-vous ? ». « Oui », dit le Père. « La Statue ouvre les yeux, n'est-ce pas ? » « Oui, mais est-ce bien vrai ? ». Et, alors, je leur dis que moi aussi, je voyais cela depuis quelques instants. Et je fais cette déclaration solennelle, la croyant consciencieusement vraie et sachant qu'elle a les mêmes forces et les mêmes effets que si elle était fait sous serment, sous l'empire de l'acte, etc., etc. ».

Et puis, il le signe. À partir de ce moment-là la consécration est officielle.

Mais le curé Désilets meurt et c'est le curé Duguay et le Père Frédéric qui prendront la relève. Le curé Duguay s'occupera du sanctuaire jusqu'à sa prise en main par les Oblats. Il a vraiment organisé les débuts du sanctuaire. Les pèlerinages se font de plus en plus nombreux et 1893 marque l'arrivée des premiers pèlerins en provenance des États-Unis. En 1892, le curé Duguay avait fondé les annales qui, à leur début, étaient publiées à douze mille exemplaires. Pour l'époque, c'est quand même énorme. Il existe donc déjà une infrastructure, une organisation ; le sanctuaire commence à avoir une audience nord-américaine et les annales, elles, viennent supporter ou prolonger la ferveur des gens en fonction du sanctuaire de Notre-Dame du Cap. En 1892, Léon XIII, dans un bref, accorde une indulgence plénière aux pèlerins qui iront visiter le sanctuaire. Celui-ci commence à prendre corps ; il devient de plus en plus reconnu. On construit un magasin d'objets de piété, on aménage le terrain et, en 1900, Mgr Cloutier désigne le sanctuaire comme lieu de pèlerinage diocésain. C'est aussi à ce moment que Mgr Cloutier confiera le sanctuaire aux Oblats afin de décharger le curé Duguay et le Père Frédéric qui sont déjà avancés en âge.

En 1904, les Oblats demandent à Pie X le privilège de couronner la statue de Notre-Dame du Cap. Ils invoquent trois raisons pour cela. D'abord, l'ancienneté du culte rendu à la statue; ensuite, la grande audience du sanctuaire en tant que lieu de pèlerinage; et enfin, la liste des bienfaits rapportés. Alors, en 1904, la statue

Ill. 63a. Croix Marcel Labbé. Saint-Joseph, 1974.

est couronnée. En 1909, ce sera au tour du Concile plénier de Québec de recommander à tous les fidèles d'aller en pèlerinage au sanctuaire et ce, pour les mêmes raisons qui avaient justifié le couronnement de la statue. De 1949 à 1954, se fera la consécra-

Ill. 63b. Niche creusée dans un arbre. Portneuf.

tion nationale de la statue de Notre-Dame du Cap par le voyage qu'elle fera à travers tout le Canada. L'origine de ce voyage avait été fournie par le congrès marial d'Ottawa vers 1940; c'est Mgr Vachon qui avait demandé que la statue vienne présider ce congrès.

Emile Legault: Je crois que la statue avait soulevé un intérêt quand même assez considérable.

René Bouchard: Très considérable, je crois. En 1954, dans tous les cas, c'est vraiment l'apothéose de Notre-Dame du Cap parce que c'est son deuxième couronnement, et tous les évêques

Ill. 64. Le deuxième couronnement de la statue. Cap-de-la-Madeleine, 1954.

et les archevêques y assistent. Elle est consacrée « Reine du Canada » par l'épiscopat canadien.

Il y a l'aspect thaumaturgique de la Vierge aussi qu'il serait intéressant d'aborder. Ce qui m'a particulièrement attiré, c'est la découverte, aux archives du sanctuaire, de toute la correspondance des « miraculés » de Notre-Dame du Cap ; des gens qui, d'eux-mêmes, ont écrit des lettres racontant les guérisons qu'ils avaient obtenues. Quand on passe à travers cette correspondance, c'est incroyable le monde dans lequel on pénètre. En voici un exemple.

APPENDICE

Témoignage d'une « miraculée »

O mon Jésus je t'aime
Esprit-Saint, éclairez pauvre moi
Tout à Jésus par Marie

Mon bon Jésus et ma belle Maman, venez conduire ma pauvre main, dans cet écrit qui m'est demandé et faites-moi écrire tout ce qui est dans la vérité et rien que la vérité.

Ill. 65. Les « miraculés » de Notre-Dame du Cap-de-la-Madeleine.

Rapport de ce que j'étais avant ma guérison

C'est sous le regard de ma bonne Maman du Ciel, la Très Sainte et Immaculée Vierge Marie, que je veux répondre à votre demande et venir vous tracer ici quel était mon état au début de ma maladie, puis quelques semaines avant ma guérison et enfin la veille de ma guérison. Ce n'est que par obéissance et par soumission à la volonté de Dieu, qui m'est manifestée par la vôtre, que je veux accepter la chose, car vous ne sauriez croire combien cela va à l'encontre d'un désir qui m'était cher: « garder sous le voile du secret, pour les laisser connues de Dieu seul et de la Vierge si pure, les innombrables souffrances endurées au cours de ma maladie » — souffrances que j'ai tant cherché, surtout ces derniers temps, à dissimuler auprès de tous, me rappelant cette parole du bon Maître à Sœur Benigne-Consolata, sa petite confidente: « Beaucoup d'âmes perdent le mérite de leurs souffrances, parce qu'elles font connaître leurs souffrances » —.

Mais ici, je sais qu'il est de mon devoir de parler, c'est pourquoi en toute soumission et sans aucune hésitation je dirai ce qu'il en fut. De plus, comme je craindrais que Maman-Marie me gronde et me fasse des gros yeux à mon entrée dans l'au-delà si j'allais, sous de faux prétextes et pour une raison qu'Elle n'accepterait peut-être pas du haut de son Ciel, tenir cachés les innombrables bobos qu'elle a guéris chez sa pauvre enfant, en ce 15 août 48, c'est pourquoi, sans plus de préambule, je débute et voici ce qui concerne les premiers temps de ma maladie.

(C'était le 29 ou le 30 avril 1938). Étant à décorer une salle d'étude au Juvénat de Pont-Rouge, à l'occasion du beau mois de Marie, et étant tombée en bas d'un escabeau, j'arrivai le dos sur le coin d'un pupître; c'est alors que se déclencha un mal dans la colonne vertébrale. Je passai la première journée au lit, puis ensuite, je repris la vie normale mais à tous moments et sans aucune raison apparente, je tombais, tantôt dans les escaliers, tantôt dans les corridors, tantôt ailleurs, où rien ne pouvait provoquer ma chute, et cela arrivait si souvent, qu'une bonne fois, une Juvéniste des Sœurs de la Charité où j'étais moi-même là, me préparant à la vie religieuse, fit cette remarque en parlant de pauvre moi: « Quand une Juvéniste tombe, disait-elle, nous n'avons pas besoin de regarder quelle est cette Juvéniste, c'est toujours Sœur ....» — et en effet c'était toujours pauvre moi qui, d'une façon inattendue allais baiser le plancher. J'avais beau faire attention, rien n'y faisait. Puis, après être restée quelque temps comme ça au Juvénat, je devins à bout de force et très fatiguée, si bien que l'on m'envoya voir le Docteur .....

.... qui me dit que je souffrais d'un surmenage et de faiblesse générale et me prescrivit le retour à la maison avec le repos complet. De retour à la maison et malgré tous les bons soins, la maladie continua quand même son chemin et voici que l'épaule commença à me descendre. J'allai voir mon médecin de famille, le Docteur ...., qui, après examen, m'amena voir le Docteur ...., spécialiste pour les os. Celui-ci me mit dans le plâtre de la hanche à l'épaule puis me fit suivre des traitements électriques et enfin me prescrivit un corset en celluloïde plâtré pour soutenir ma colonne vertébrale. Ensuite, ayant été conseillée par certaines amies, j'allai voir le Docteur .... qui à son tour me donna une centaine de traitements électriques et me dit que j'avais des vertèbres déplacées. J'avais alors beaucoup de mal à la colonne vertébrale et dans ma hanche.

Après tout cela je devins dans un état bien pitoyable. Seuls ceux qui m'ont vu marcher à ce temps-là ont pu se douter avec quelle difficulté je marchais. Je marchais, pliée quasi en deux, toute courbée et penchée sur le côté droit, je boitais beaucoup et je ressentais beaucoup de mal, surtout quand je marchais. Peu de temps après cela, il me fallut prendre les béquilles puis le lit et enfin la chaise roulante. À ce moment-là, les abcès froids, se formant à la partie supérieure de la cuisse étaient venus apporter la certitude de la tuberculose osseuse de la colonne, puis de la hanche. — Abcès, plaies, qui coulaient excessivement et me firent beaucoup souffrir. Encore quelques semaines avant ma guérison, une plaie à la hanche venait à peine de se fermer après avoir coulé, elle aussi, des semaines et des semaines. — À cette époque-là, comme d'ailleurs à la veille de ma guérison, j'étais rivée à ma chaise roulante, incapable de faire un seul pas, ni de me tenir debout, ne fut-ce qu'une minute, j'étais même incapable de rester assise, sans le soutien de mon corset en celluloïde plâtré que je portais continuellement. J'avais alors une jambe beaucoup plus courte que l'autre, une épaule beaucoup plus basse, j'étais pâle et toujours fatiguée, rendue à bout de force.

De plus, « Dame tuberculose », non contente de ses deux postes qu'elle avait entrepris, semblait vouloir se faire un troisième nid chez sa pauvre victime, car depuis au-delà d'un an je toussais d'une toux fort creuse qui faisait peur à ceux qui m'entendaient ; de plus, un mal dans le poumon gauche, genre de point, se faisait très souvent sentir, surtout ces derniers temps avant ma guérison. Point qui parfois la nuit venait m'éveiller, tant il me perçait les côtes. Puis, de plus, je dois dire et avouer en toute franchise avoir eu des crachements de sang venant me faire soupçonner qu'à son tour mon poumon gauche devenait la petite proie de l'impitoyable tuberculose.

Voici donc un bref résumé de mon état physique la veille de ma guérison, puis quelques semaines avant et enfin au début de ma maladie. J'espère que j'ai été assez précise. Veuillez croire que j'ai tenu, par la grâce de Dieu bien entendu, à faire ce résumé avec la plus grande sincérité dont mon pauvre cœur était capable, et c'est pourquoi, et comme attestation de tout cela, je signerai de mon pauvre sang ma lettre, mon résumé, et c'est pourquoi je ferai signer après moi des témoins de ma maladie.

En terminant comme je le disais ci-avant, j'aimerais que ce trésor de souffrances qui m'a été donné au cours de ma maladie demeure caché aux regards des humains et à l'abri du public. J'ai tant cherché lors de ma maladie à les faire ignorer de tous, combien à plus forte raison je désire aujourd'hui qu'elles continuent encore à être ignorées — mais comme je n'ai pas le «*droit*» de demander quoi que ce soit qui puisse *empêcher* ou *nuire* au Règne de la Très Sainte Vierge et de la belle Madone du Cap, vous avez plein droit de vous en servir, en autant qu'à cette fin vous le jugerez bon.

Votre toute respectueuse et reconnaissante,

L'indigne «guérie par la Vierge»

....

pauvre pécheresse

Troisième partie

Du bien et du mal

Chapitre VII

Les croisades de tempérance

Nive Voisine

Emile Legault: Nous allons parler ce matin, avec M. Nive Voisine, des croisades de tempérance. M. Voisine, comment rattachez-vous ce thème des croisades de tempérance au thème plus général de la religion populaire?

Nive Voisine: Je le rattache en apportant quelques nuances au terme de religion populaire qui est un peu ambigu selon moi. Est-ce la religion qui est pratiquée par le plus grand nombre? Est-ce ce qui est exclu de la religion des gens instruits, clergé ou élite? Je ne sais trop, alors, j'aime beaucoup mieux parler du contraste entre religion prêchée et religion vécue par un groupe humain, masse et élite, fidèles et clergé. Ainsi, par exemple, par le biais des croisades de tempérance, on peut faire une histoire des comportements moraux, c'est-à-dire comment la morale est vécue par les gens, ou une histoire des mentalités, à savoir comment ces croisades s'inscrivent dans la conscience populaire et, également, dans la mémoire du peuple canadien-français. À mon avis, ce n'est pas le thème majeur, mais il s'inscrit très bien dans l'histoire de la religion vécue ou, si vous aimez mieux, de la religion populaire.

Emile Legault: Vous établiriez une sorte de nuance entre la prédication officielle donnée par les prêtres et la perception de cette prédication par le peuple?

Nive Voisine: Surtout par le peuple. Le peuple, lui, a sa religion qui, d'une certaine façon, n'est pas toujours celle exigée par le prêtre en chaire. Parfois même l'Église récupérera cette dévotion ou ces pratiques pour les inscrire dans sa prédication officielle. Il y a une influence de la prédication, il ne faut pas se leurrer, et cette dialectique me semble plus facile à saisir quand on parle de religion vécue et de religion prescrite.

Emile Legault: Vous employez un mot qui me fait sursauter un peu à première vue, c'est le mot croisade.

Nive Voisine: Évidemment, c'est un vieux mot qui date du moyen âge et qui décrit un mouvement populaire de chrétiens qui s'en allaient récupérer le tombeau du Christ. Au XIXe et au XXe siècles, j'entends par croisade une tentative pour mobiliser les masses en faveur soit d'une idée, soit d'un redressement, soit d'un mouvement. Ça ressemble un petit peu au terme de campagne, mais la croisade, à mon avis, s'étend sur un laps de temps plus grand. À l'intérieur d'une croisade, vous aurez diverses campagnes plus ou moins fortes. Ici, il s'agit véritablement d'une croisade, car vous avez le désir de mobiliser les masses par toutes sortes de moyens qui seraient différents au XIXe et au XXe siècles. On y retrouve cette tentative de diriger l'opinion dans une lutte et c'est la définition même qu'en donne le dictionnaire.

Emile Legault: Votre étude de ce matin portera sur quelle période de notre histoire?

Nive Voisine: Je vais surtout parler du XIXe. Je crois qu'il est très intéressant de parler de cette période, car on y a vécu une des plus grandes croisades de tempérance. Il y a eu plusieurs sortes de campagnes: en 1946, il y a eu la campagne de pureté lancée par les évêques, qui a plus ou moins réussi, et la campagne de colonisation au XIXe. Au XXe siècle, il y a eu les campagnes anti-communistes des années 30 et de l'après-guerre avec Maurice Duplessis, etc. Mais les croisades de tempérance, elles, reviennent toujours. La première arrive au milieu du XIXe siècle; elle est exemplaire et les autres vont souvent copier ce qu'elle a été. À mon avis, elle a été très importante pour comprendre la mentalité de la fin du XIXe et du début du XXe siècles.

Emile Legault: Pourriez-vous me définir ce qu'est une croisade?

Nive Voisine: Elle se divise tout d'abord en deux parties. Il y a d'une part une mobilisation des masses, dans le cas d'une croisade de tempérance, à la fois pour combattre l'alcoolisme sous sa forme d'ivrognerie, de vente de boisson et, évidemment, pour implanter la tempérance. Comme élément positif, vous avez la prédication de la modération dans l'usage des boissons. Donc, mobilisation des masses et efforts pour encadrer les gens dans des sociétés de tempérance qui prendront le nom de société de la croix noire au XIXe siècle et, au XXe, de Lacordaire et Jeanne d'Arc.

Ill. 70. « Regardez-moi ça ! » pl. I.

Ill. 71. «Regardez-moi ça!» pl. II.

Ill. 72. « Regardez-moi ça ! » pl. III.

Ill. 73. « Regardez-moi ça ! » pl. IV.

Ill. 74. « Regardez-moi ça ! » pl. V.

Emile Legault : Mais comment se déroulait cette croisade ?

Nive Voisine : Vous avez, au temps fort de la croisade, un effort de prédication au sens le plus large du terme ; les prédicateurs vont parcourir la province, à la fois pour dénoncer les méfaits de l'alcoolisme et en même temps pour proposer des remèdes pouvant varier entre l'abstinence partielle ou complète. Au milieu du XIXe siècle, on assiste à la naissance des retraites paroissiales ou de ce qu'on appelait les missions. Vous avez également d'autres types de prédication comme les conférences, les réunions et, un peu plus tard, le théâtre ; vous avez des pièces de théâtre qui vont véritablement dénoncer l'alcoolisme et prêcher la sobriété. On va aussi tenter de mobiliser les masses par des parades. Graduellement, on va faire appel à des publications qui continueront la prédication par la parole. Nous aurons alors ce que j'appellerais le message transmis par l'imprimé.

Emile Legault : Des revues de tempérance ?

Nive Voisine : C'est ça. Le premier manuel de tempérance paraîtra vers 1840 avec, évidemment, beaucoup de rééditions. On a même des recueils de prédications, de sermons ; on a des brochures assez intéressantes parce qu'on retrouve un peu ce qu'on appelle la « littérature populaire », dans le sens d'une littérature qui s'adresse au peuple. Évidemment, vous pouvez trouver aussi des recueils d'histoire sur les ivrognes et l'influence de satan sur eux. À la fin des années 1830-40, je pense que tous les témoignages concordent pour dire qu'il y a un véritable danger social: les gens ne sont pas tous alcooliques, mais il y a une véritable tendance à l'alcoolisme. Même si on n'a pas de statistiques précises, on voit quand même qu'à partir de 1800-1830, il y a une augmentation énorme de la consommation des boissons alcooliques.

Ill. 75. « Regardez-moi ça ! » pl. VI.

Ill. 76. « Regardez-moi ça ! » pl. VII.

Ill. 77. « Regardez-moi ça ! » pl. VIII.

Emile Legault: Mais ce qui me frappe, c'est qu'il n'y a jamais eu de croisade sous Mgr de Laval et, pourtant, il s'est battu tous les jours, et systématiquement, contre l'alcoolisme.

Nive Voisine: Du temps du Régime français, Mgr de Laval a fait campagne contre le trafic avec les Indiens. Il disait aux Français d'en consommer d'une façon modérée, vertueuse, mais on ne dénote pas encore de problème social ; les Français qui arrivent ici consomment de la bière et du vin. La brasserie du Séminaire de Québec n'existait pas pour rien et même les étudiants en buvaient à l'époque. Au XVIIIe siècle, les évêques vont dénoncer l'ivrognerie des soldats qui arrivent ici à plein bateau et qui s'ennuient ; on n'a pas encore de véritable campagne.

Emile Legault: Est-ce qu'on peut dire à ce moment-là qu'il y a une incidence morale et même une incidence nationale ?

Nive Voisine: J'en vois une dans la première croisade. Mais situons-nous dans l'histoire de ce XIXe siècle, vers les années 30. En 1832-1834, vous avez les épidémies de choléra et des mauvaises récoltes qui amènent beaucoup de misère dans les campagnes. Le journal *Le Canadien* fait état des difficultés atroces que subissent les cultivateurs du *Bas du fleuve* réduits à la misère. Les gens de Québec

Ill. 78. « Regardez-moi ça ! » pl. IX.

Ill. 79. « Regardez-moi ça ! » pl. X.

sont aussi pauvres et ils sont obligés d'envoyer du secours pour les semences. On est tellement pauvre que l'on doit manger les chevaux qui sont les tracteurs de l'époque. Il y a les sauterelles et la bête à patate qui apparaissent. Enfin, au niveau politique, c'est l'insurrection de 1837-38. Alors, la société traditionnelle de l'époque, aidée en cela par les prédicateurs, se dit : « Dieu est fâché. Pourquoi ? Peut-être parce que l'intempérance attire les malédictions divines ». Si vous ajoutez cette crainte à l'incertitude politique, à la vengeance des chefs anglais après l'insurrection et à l'Acte d'Union, on assiste alors à une espèce de vacuum. La société canadienne connaît un état d'affaissement ; on prend conscience des misères et, une fois de plus, on a recours à la religion. Et le fait est que la religion catholique va remplir ce vacuum et on va avoir ce que j'appellerais un nouveau discours. À la période précédente, le discours était politique : on voulait des réformes. Désormais, le discours continuera d'avoir une certaine tendance politique, mais le discours religieux prendra le dessus. Alors, à l'intérieur de ce discours religieux, on va retrouver des thèmes moraux dont celui de la tempérance, celui de la lutte contre le luxe, qui est très souvent relié à l'émigration, et celui du nationalisme. Par la religion, on veut sauver la race et on assiste aux débuts de l'ère de la colonisation. De plus en plus, on va retrouver, dans la deuxième partie du XIXe siècle, ces thèmes religieux et nationaliste très imbriqués.

Ill. 80. « Regardez-moi ça ! » pl. XI.

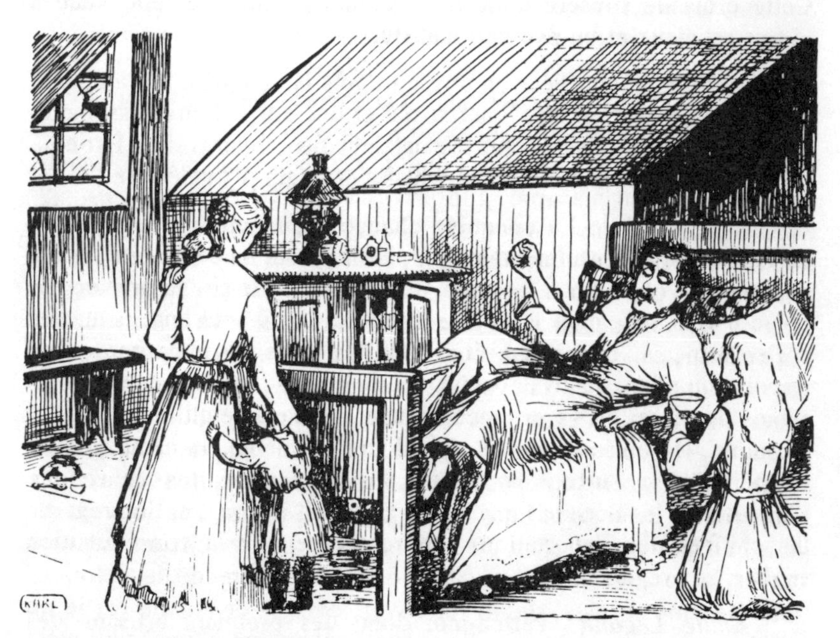

Ill. 81. « Regardez-moi ça ! » pl. XII.

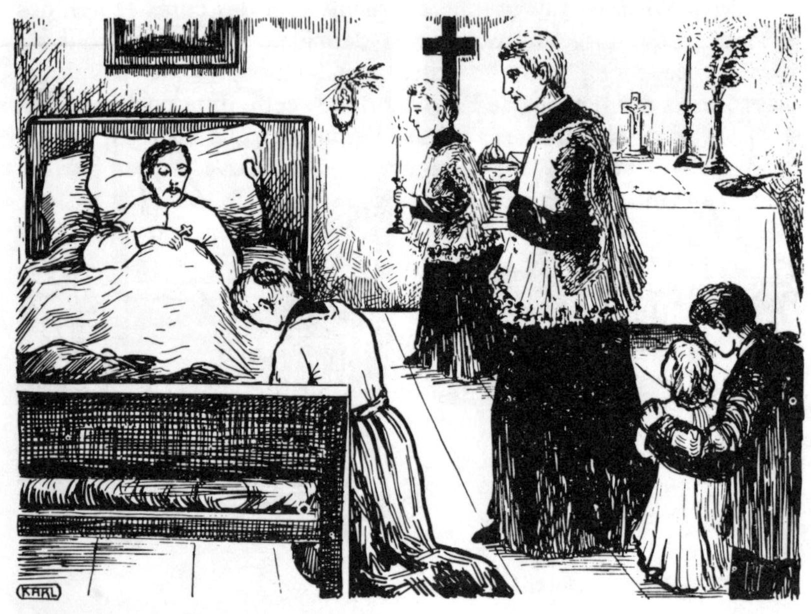

Ill. 82. « Regardez-moi ça ! » pl. XIII.

Cette croisade s'insère donc très facilement dans ce renouveau à la fois religieux et un peu nationaliste.

Emile Legault : Peut-on dire qu'après la conquête il y a eu une sorte de dégradation du climat social et une sorte d'envahissement, d'autre part, de misères qui n'existaient pas auparavant ? Est-ce à ce moment aussi qu'arrivent le whisky et le gin d'Angleterre ?

Nive Voisine : La conquête change beaucoup de choses, dont certaines habitudes alimentaires, et, à l'intérieur de ces habitudes alimentaires, vous avez la boisson. Évidemment, le gin va arriver. Le rhum y était déjà mais il va être différent, car il sera anglais au lieu d'être français. Le cognac était déjà ici, mais on remarque qu'on importe de plus en plus de whisky et de brandy. On boit de moins en moins de vin et on va se lancer davantage dans ce qu'on appelle, à l'époque, les boissons fortes. D'ailleurs, au début, la campagne de tempérance va surtout porter sur les boissons fortes ou ce que j'appellerais les boissons anglaises. Et le fait est que, si l'on regarde les chiffres des importations, on remarque que la consommation triple assez régulièrement.

Emile Legault : Parlez-moi donc des premiers artisans des croisades.

Nive Voisine: Les premiers artisans sont des curés et non des évêques. Ces derniers lanceront la deuxième campagne, celle de 1905. À ce moment-là, les curés sont plus près du peuple et voient les conséquences de l'ivrognerie. Si cette lutte commence ici dans les années quarante, j'aimerais souligner que ce n'est pas un fait isolé. Au contraire, le mouvement se retrouve un peu partout dans le monde occidental. Dès le début du siècle, on avait assisté, en Europe et surtout aux États-Unis, à la création, par des sectes protestantes, de sociétés de tempérance. En 1833, on compte déjà

Ill. 66. Sainte Anne et la tempérance.

plus de 6,000 sociétés de tempérance aux États-Unis. La situation se répercutera au Canada anglais et, dès 1828, on aura une société de tempérance à Montréal et une à Québec en 1831. Remarquez bien qu'il s'agit d'une société protestante et que les Canadiens français ne se sentiront aucunement attirés. On sent le besoin de faire la même chose mais comme c'est protestant, on a une sorte de répulsion à le faire. Il faut attendre 1838 pour avoir au moins un modèle catholique, ce qui dans la société de l'époque est important.

Ill. 67. Charles Chiniquy et la médaille de tempérance.

Ill. 68. Mgr de Forbin-Janson. Fonds Villeneuve, CELAT, Université Laval.

Le mouvement catholique nous vient d'Irlande, par l'entremise du Père Mathew, un Irlandais extrêmement populaire qui a prêché une énorme campagne de tempérance en Irlande, en Écosse et, plus tard, aux États-Unis. On a dit qu'il avait prêché au moins à cinq millions de personnes. Alors, le Père Mathew apportera ici ce modèle catholique. Les curés connaissent le Père Mathew, les journaux en parlent et petit à petit on va sensibiliser les gens et assister à la formation d'un groupe dans les environs de Québec. Vous aurez le curé Beaumont de Saint-Jean-Chrysostome, le curé Charles Chiniquy de Beauport et, avec un décalage de quelques années, celui qu'on appelera le grand vicaire Alexis Mailloux. Vous aurez ensuite le curé Quertier qui a été à Cacouna et à Saint-Denis. Après, on se dirigera vers Montréal. En 1840, vous avez Chiniquy qui fonde la première société de tempérance, l'Association catholique de Beauport.

Emile Legault: Ces orateurs devaient avoir développé des qualités oratoires extraordinaires?

Nive Voisine: On est à l'âge de la parole et la prédication est véritablement un spectacle. Par exemple, quand on parle de Chiniquy, on parle d'un prédicateur populaire. C'était des gens qui savaient s'adresser au peuple dans un style romantique, alambiqué,

Ill. 69. Colonne de tempérance érigée par Chiniquy à Beauport et bénite en 1841 par Mgr de Forbin-Janson.

qui nous surprend aujourd'hui mais qui prenait beaucoup. Ça prenait d'autant plus qu'en 1840, au moment de la fondation des premières sociétés, vous allez avoir ici Mgr de Forbin-Janson, prédicateur français, ex-évêque de Nancy, qui était allé aux États-Unis comme missionnaire après avoir été chassé de son diocèse et qui parcourra une bonne partie de la province, surtout la région de Montréal, en attirant des foules immenses. Il va d'ailleurs inaugurer ici une formule qui deviendra extrêmement populaire, celle des missions ou retraites paroissiales. Le premier, il va introduire dans le schéma de ses retraites la prédication de la tempérance et il va appuyer énormément sur ce qu'on appelle, à l'époque, la tempérance partielle.

Emile Legault: Est-ce que l'on pouvait retrouver des marques palpables de ces passages dans certaines paroisses comme, par exemple, des monuments?

Nive Voisine: Ça reprend ce qu'on a dit tout à l'heure. Il y a la prédication par la parole, par les imprimés, mais également par des objets, des artefacts qui demeurent. Ainsi, après ces retraites ou missions paroissiales, dans la plupart des paroisses on élève un monument, en pierre ou en bois, qui est érigé par tous ceux qui ont signé comme membres de la société de tempérance. Mais vous aurez aussi ce que j'appellerais le monument collectif des membres de la société de tempérance, la croix noire lancée par Chiniquy. Cette croix noire, sur laquelle on a juré d'être sobre et qu'on place dans le plus bel endroit du salon, se retrouve, à la fin du siècle, dans presque toutes les maisons canadiennes-françaises. On la place avec le portrait de Laurier et celui du pape; ce sont là trois grands symboles de notre nation. Le folklore aussi va véhiculer un peu cette attirance vers la consommation par les chansons. Mais, en contrepartie, on va avoir aussi des recueils de chanson sur des thèmes favorisant la tempérance. Dans certaines paroisses aussi, on a des manuels décrivant un peu la cérémonie de réception dans la société et qui inclut des cantiques et des chansons. Au XXe siècle, les Lacordaire et les Jeanne d'Arc vont avoir cela aussi, mais à cette époque ce seront des thèmes davantage folkloriques.

Emile Legault: Mais en ce qui concerne la consommation d'alcool, est-ce qu'on allait jusqu'à l'interdiction totale ou si on favorisait une relative modération?

Nive Voisine: La première société de tempérance, fondée par Chiniquy et les autres, était une société de tempérance partielle et je vais vous lire l'engagement qu'on faisait pour la société de

Beauport en 1840: « Je m'engage solennellement et publiquement d'éviter l'intempérance et de ne jamais visiter les cabarets ». On insiste beaucoup sur les cabarets parce qu'il y en a énormément. Ainsi, dans les murs de Québec, parfois toutes les maisons vendaient de la boisson. On veut donc lutter contre la fréquentation des cabarets. « Je ne ferai jamais usage de boisson forte sans une absolue nécessité. Et si pour devenir tempérant, il me faut renoncer à toute espèce de boisson, je m'y engage. Je promets aussi de faire tout en mon pouvoir, par mes paroles et mes exemples, pour que mes parents et mes amis en fassent autant ». C'est très nuancé comme engagement et, évidemment, ça ne faisait pas l'affaire de tout le monde. Plusieurs auraient préféré qu'on prêche l'abstinence ou la tempérance totale. Chiniquy reviendra à la tempérance totale quelques années plus tard et l'engagement pour la même société de Beauport dit ceci: « Nous nous engageons pour l'amour de Jésus-Christ abreuvé de fiel et de vinaigre, à ne jamais faire usage d'aucune boisson enivrante, ni de vin, ni de grosse bière (celle qui est alcoolisée, pas la bière d'épinette), excepté comme médecine. Et pour détruire entièrement l'ivrognerie de notre paroisse et de notre pays, nous ferons notre possible pour que nos parents et nos amis puissent suivre notre exemple ». Alors, on va toujours traîner cette bataille entre l'abstinence et la tempérance partielle.

Emile Legault: J'imagine que les sociétés américaines, avec le puritanisme ambiant, devaient être beaucoup plus rigoureuses.

Nive Voisine: Exactement. Nous le verrons tout à l'heure quand on parlera des effets et de la législation, mais on peut dire que, dans cette société victorienne du Canada d'alors, le mouvement est favorable non seulement à la tempérance totale mais à la prohibition, à la défense totale de vente; les Canadiens français et le clergé, eux, n'ont pas défendu cette position. C'est très tardivement qu'on va être converti ici au Canada français à la prohibition, car ce n'est que vers 1916 qu'on aura des ligues anti-alcooliques. Mais au XIXe siècle il ne se passe rien; on veut évidemment une législation qui rende plus difficile la vente de l'alcool, qu'on en surveille l'application, mais on ne désire pas la prohibition. Alors le plébiscite a lieu en 1898 et, évidemment, avec la masse canadienne-anglaise la prohibition obtient, sur l'ensemble du Canada, une petite majorité de 13,687 voix. C'est pas beaucoup. Si on regarde des chiffres pour le Québec, on a 122,617 « non » à la prohibition et 28,682 « oui », soit une majorité de près de 94,000 voix contre la prohibition et cela, malgré toutes les campagnes, les sociétés de tempérance existantes et les prédications. On voit bien, à ce moment-là, que la prohibition n'est pas la solution idéale. Au Canada, et surtout au Québec, on a eu une petite prohibition dans les années 1918-19, mais ça n'a pas fonctionné. C'était impensable et pour une fois je pense qu'on avait raison. Alors la prohibition, même si on avait commencé à la demander dans les années 1916, on verra que finalement on ne l'a jamais véritablement installée.

Emile Legault: Faudrait-il conclure que ces croisades successives ont été des échecs?

Nive Voisine: Ah pas du tout! La première surtout, à mon avis, a eu énormément d'effets. Je pense qu'elle a véritablement changé la mentalité, la conjoncture où elle se situe, parce que l'on va assister après la prédication de Forbin-Janson et celle des orateurs canadiens à un véritable réveil religieux et moral. D'après les témoignages de l'époque, on se rend compte que, de 1840 à 1854, il y a un véritable engouement pour la tempérance. Le grand vicaire Mailloux écrira plus tard que la tempérance dominait tout, semblait être devenue le besoin de tous. On se rend compte alors qu'il y a beaucoup d'auberges qui ferment, que les distilleries font moins de profits, quand elles ne ferment pas, et surtout qu'il y a désormais un contrôle beaucoup plus fort de la vente et de la consommation des boissons alcooliques.

Emile Legault: Dans mon petit village de Saint-Laurent, il y avait six hôtels au début du siècle. Le curé Crevier du temps s'est battu à corps et à cris pour les faire fermer. Il a réussi, je crois, à en faire fermer cinq. D'ailleurs, les cultivateurs de Sainte-Dorothée, Sainte-Geneviève ou Cartierville allaient au marché Bon-Secours et s'arrêtaient à Saint-Laurent pour l'étape mouillée. Alors, le curé Crevier déblatérait en chaire et il disait officiellement au curé de Cartierville de garder ses cochons chez lui. Alors, le curé de Cartierville a répliqué en chaire au curé Crevier: «Je vais garder mes cochons s'il ferme ses soues».

Nive Voisine: Ça reflète exactement ce qu'on retrouve un peu partout. On aura donc des curés qui, grâce à une législation dont on va parler, vont essayer de fermer, sinon toutes, du moins la plupart des auberges et des lieux de vente. Le curé voudra ça pour sa paroisse et non pas pour l'ensemble du territoire. Enfin, statistiquement, on voit une diminution de la consommation et, comme exemple, je vais vous donner un chiffre pour les spiritueux. En 1871, pour les boissons fortes ou spiritueux, la moyenne de consommation par tête au Québec est de l'ordre d'un gallon, presque d'un gallon et demi. Or, en 1893, la moyenne baisse à 0.96 et c'est la même chose pour le vin. Seule la consommation de bière, permise dans la tempérance partielle, va augmenter mais très peu. Cela se manifestera au niveau de la législation, qui est le reflet de même que l'influence du comportement des gens. C'est d'ailleurs là que l'on va retrouver notre problème de la prohibition.

Emile Legault: Au cours de vos lectures, avez-vous retrouvé des manifestations de dégâts causés par cet excès dans la population, soit sur le plan des affaires, de l'économie ou du maintien de la famille?

Nive Voisine: Les prédicateurs vont surtout axer leurs discours là-dessus. Dans les histoires qu'on raconte, on va faire voir que l'alcoolisme détruit la famille, détruit la société et, au XIXe siècle surtout, on va insister sur le fait que l'alcoolisme et le luxe sont des raisons de l'appauvrissement des gens et aussi de ce fléau qu'est l'émigration vers les États-Unis. Malgré l'emphase que l'on retrouve dans les années 1830 et 40, il arrivait que ces effets se manifestaient au point de vue social.

Emile Legault: Cette prédication ne planait-elle pas dans la stratosphère?

Nive Voisine: Pas du tout. Elle était très populaire et même populiste. Des gens comme Mgr Bourget trouvaient que c'était un peu fort en histoires et plus ou moins digne de la chaire chrétienne. Mais si on revient à la législation, on va voir, et c'est assez intéressant, que graduellement les mouvements vont influencer la législation. Dès 1850, au Canada uni, on vote au parlement une loi pour rendre plus effective la suppression de l'intempérance. On n'a jamais eu une loi aussi sévère; sa sévérité d'ailleurs l'empêchera d'être appliquée. Le contraste était tellement fort entre ce qui était et ce qui devait être, que personne n'a essayé de l'appliquer. L'année suivante, en 1851, on est obligé de revenir à la réalité et on sort une nouvelle loi plus nuancée et plus concrète. Cette loi porte le nom suivant: « Acte pour mieux régulariser le mode d'octroyer les licences aux aubergistes et trafiquants de liqueurs fortes dans le Bas-Canada et pour réprimer plus efficacement l'intempérance ». À ce moment-là, on oblige d'avoir une requête de la majorité des habitants d'un bourg ou d'un village pour avoir une auberge, un certificat de cinquante personnes; c'est facile à trouver, car le même gars signait ou faisait des croix pour tout le monde. Cette loi sera appliquée jusqu'en 1919. C'est ainsi que l'on réussira à diminuer le nombre des auberges et des permis, qu'on appelait des licences à l'époque. Les autorités catholiques vont protester contre le laxisme et, en 1852-53, on assistera à d'énormes manifestations à Montréal. En 1852, les évêques entrent dans le jeu avec des mandements qui appuient et récupèrent le mouvement. Au marché Bon-Secours, vous avez Mgr Bourget qui fait des manifestations mais le gouvernement ne bouge pas. Le mouvement continue avec des hauts et des bas. À partir de 1864, donc quelques années avant la Confédération, on commence à voir entrer des lois qui tendent vers la prohibition. En 1864, la loi Duncan, du nom de celui qui l'a proposée, autorise les comtés, les villes, les municipalités qui le veulent, à adopter, par référendum, un règlement de prohibition dans leurs limites. Mais en 1878, vous avez une loi extrêmement importante dans l'histoire de la législation de la tempérance qui s'appelle « L'acte de tempérance du Canada » ou, vous connaissez l'expression, « la loi Scott » ! C'est une loi sur la prohibition ; quand 25 % des électeurs d'un comté ou d'une cité veulent l'avoir, ils peuvent exiger un référendum. Cette loi fédérale pouvait s'appliquer même au Québec, permettant la prohibition dans certains territoires. Or, qu'est-ce qui arrive ? Si on regarde les statistiques, on voit que, jusqu'à la fin du siècle, il y a eu onze référendums et ce, dans des comtés anglais. On ne note qu'un seul comté canadien-français majoritaire et c'est Chicoutimi. Sur onze comtés, il y en a eu cinq qui ont voté la prohibition et Chicoutimi est de ceux-là. Au bout de quelques années, ils l'ont abandonnée parce que ça ne marchait pas. Au XIXe siècle donc, on n'est vraiment pas en faveur de la prohibition ; on est en faveur d'un régime assez sévère de permis de vente mais la prohibition, non. Dans une enquête de 1898, on a le témoignage d'un curé de Québec et du curé de la paroisse sulpicienne de Notre-Dame de Montréal, qui se prononcent contre la prohibition, car ils y voient non pas une façon de combattre, mais une façon hypocrite, à leurs yeux, d'essayer d'installer quelque chose qui ne pouvait pas vraiment être le remède par excellence. À ce moment-là, même si c'est Laurier qui est au pouvoir, il ne vote pas la prohibition totale parce que la bataille, à partir de la fin du siècle, est soit pour ou contre la prohibition totale.

APPENDICE

Un exemple de littérature populaire sur le thème de la tempérance:

*REGARDEZ-MOI ÇA!**

Planche I

« Deux intérieurs bien différents!
Foyer d'ivrogne, foyer de tempérant!

Au premier, la pauvre femme pleurant son triste sort, dans un cadre de misère noire. Tout crie la misère, le dénuement le plus complet, et les estomacs crient la faim...

Combien le foyer de l'homme sobre contraste avec celui du buveur! Tout y annonce l'aisance honnête, l'ordre, la paix, le bonheur. La croix de tempérance règne à ce foyer, et c'est elle qui, fidèlement gardée, est à son tour gardienne du bonheur domestique... ».

Planche II

« On s'amuse ferme à l'hôtel, le samedi et souvent le dimanche, attablé devant un jeu de cartes et des bouteilles.

Dieu est offensé, la famille oubliée, mais on s'amuse!

Le lundi, c'est une autre affaire. Le travail réclame ces bras qui, au lieu de se reposer le dimanche dans un repos réparateur voulu par Dieu, se sont surmenés et affaiblis dans l'orgie, et les bras, énervés et harassés, se refusent au travail...

Pour satisfaire à la fois sa passion et jeter un morceau de pain aux enfants, l'ouvrier n'a plus assez de son juste salaire; il en réclame une augmentation. Si le patron refuse, c'est la grève. »

Planche III

« Hier, des jeunes gens partis en excursion sur le fleuve se sont noyés... Ces jeunes gens savaient nager, et l'on ne comprend

---

* Dessins et commentaires tirés de: P. Hugolin, o.f.m., *Regardez-moi ça!*, 24 dessins inédits par Karl, Montréal, [Imp. A. Ménard], 1911 [32 p.] in-12.

pas qu'ils n'aient pu réussir à gagner la rive, qui n'était pas éloignée. Les cadavres n'ont pas encore été repêchés».

Durant l'été les journaux sont pleines (sic) de nouvelles de ce genre.

La cause de ces noyades? La boisson! On boit, on s'amuse, on s'agite, on se querelle parfois, la chaloupe chavire et l'on se noie...

Combien plus heureuse est cette brave famille d'ouvrier qui, le dimanche, après une semaine de travail, va se recréer sobrement et gaiement en un coin de la verte campagne, à l'ombre des grands arbres!»

Planche IV

«Quel est le plus âgé des deux?

Au premier coup d'œil il vous paraîtra que c'est l'homme de droite, celui qui caresse ce bel animal... Un œil exercé ne s'y trompe pas: cet homme est vieux d'avoir bu, son visage est ravagé par le vice et non par l'âge.

De fait, il est de dix ans plus jeune que l'homme de gauche, que l'on dirait moins âgé. C'est celui de gauche qui est le plus vieux; il a cinquante ans, l'ivrogne n'en a que quarante. Mais l'homme de gauche est sobre...».

Planche V

«La boisson, ça réchauffe!

Oui, ça réchauffe tellement... que ça fait geler. La gravure ci-contre rend frappante cette vérité. C'est au cœur de l'hiver, il fait très froid. Un habitant de la campagne, venu au village pour ses affaires, ne veut pas retourner chez lui le soir sans prendre un bon coup pour se réchauffer. Mais si un bon coup réchauffe, deux, cinq, dix coups réchaufferont bien plus, se dit notre homme, et il avale une bonne lampée de *gin*, à même le flacon...

...Engourdi, il est tombé de sa carriole, sur la route blanche et glacée, tandis que son cheval galope jusqu'à la maison... La boisson a tellement réchauffé le pauvre habitant qu'elle l'a gelé à mort».

Planche VI

« À gauche, l'opulent hôtelier et sa famille ; en face, de l'autre côté de la rue, le client de l'hôtelier et sa famille : l'hôtel, vaste et cossu, la masure, basse et délabrée ; l'hôtelier, en automobile achetée avec l'argent soutiré au pauvre buveur, celui-ci assis, triste et misérable, sur le pas de sa maison ; l'épouse du buvetier, fière et parée, la femme de l'ivrogne, pauvresse amaigrie par les privations ; celui que la boisson enrichit parce qu'il la vend, celui qu'elle ruine parce qu'il la boit ; ceux qui vivent de l'alcool, ceux qui en meurent. Quel contraste, et combien douloureux ! ».

Planche VII

« Enfants de buveurs, enfants de parents sobres : qui ne les reconnaît au premier coup d'œil !

Au centre, à gauche, le joli minois, aux traits pleins, éclatants de santé ! À droite, le pauvre enfant de l'alcoolique, au visage étiolé, maladif ! Les galeries du haut et du bas accentuent le contraste. Au sommet, enfants de buveurs : mal conformés, rachitiques, idiots ; au bas, joyeux enfants de parents sobres, rayonnants de santé, de vie et de beauté ».

Planche VIII

« Samedi soir.

Bureaux, usines, ateliers, magasins viennent de fermer ; ouvriers et employés ont touché leur paie.

Aussitôt deux défilés se forment, que l'on peut voir s'avancer, l'un vers la *banque de perte* — l'hôtel, l'autre vers la *banque de gain* — la caisse d'épargnes.

Les premiers y vont boire leur salaire de la semaine, sans se préoccuper de la femme et des enfants qui à la maison attendent cet argent pour vivre.

Les seconds vont déposer à la banque leurs petites économies, qui leur donneront, après quelques années de cette vie sobre et rangée, un joli capital avec de bonnes rentes. »

Planche IX

« Les étalages de flacons multicolores et de cruches pansues aux vitrines des bars, voilà certes qui fascine le passant et l'invite à la beuverie... Il sait, le buvetier, qu'une fois entré le pauvre homme ne sortira qu'après avoir rendu la traite avec usure... Et lorsque le client a assez bu et qu'il n'a plus le sou, on le met gentiment à la porte : Allez-vous-en, ivrogne ! Allez dormir chez vous !...

L'être ignoble que ce buvetier ! ».

Planche X

« Bien différentes les deux scènes, ce sont pourtant mêmes personnages.

Avant le mariage le jeune homme buvait, — il n'était pas ivrogne, mais il aimait la boisson, et tout faisait prévoir qu'un jour il serait ivrogne.

...Et le mariage eut lieu ; jour de bonheur, suivi, hélas ! d'années de malheur.

Le jeune mari, retenu quelque temps de boire par l'affection tendre qu'il portait à sa femme, se remit bientôt à fréquenter les buvettes, à boire, et sa passion le reprit plus terrible que jamais.

Le ménage si heureux au début s'est changé en enfer. L'homme maltraite sa femme au foyer misérable, et ces scènes sont de tous les jours. »

Planche XI

« Deux ménages.

Leur contraste dispense de longues explications.

L'un, agréable, où tout respire l'ordre, la propreté, la bonne entente. Le mari revenant le soir de son travail, fatigué, y trouvera une femme aimante et soigneuse, un bon repas, de la bonne humeur, le repos...

L'autre ménage est tout l'opposé de celui-ci. Tout y est en désordre, malpropre, le soûper (sic) n'est pas prêt, la femme lit le journal ou bavarde avec les voisines, — comment voulez-vous qu'un homme ne se désafectionne (sic) pas d'une telle femme et d'un tel foyer, où il ne trouve qu'ennui et sujets de dégoût ? Le cabaret est tout près, il ira au cabaret chercher ce qu'il ne trouve pas chez lui : le bien-être et le repos ».

Planche XII

« Mort de l'ivrogne, triste comme sa vie. Mort subite, foudroyante, parfois. Alors même que la mort est annoncée par la maladie, quelle maladie et quelle agonie !

....

J'ai connu une de ces malheureuses victimes de la passion de boire, qui à son lit de mort, dans les dernières heures de son agonie, ne songeait encore qu'à assouvir sa passion. Pendant même que le prêtre lui administrait les derniers sacrements et l'exhortait à bien mourir, le misérable tournait ses regards vers une bouteille placée près de son lit et réclamait de sa voix expirante qu'on lui versât à boire ! !

Telle vie, telle fin. »

Planche XIII

« Si la fin de l'ivrogne est lamentable, combien douce est la mort du tempérant !

....

Et maintenant qu'il va mourir, la croix à qui il a été fidèle est sa consolation et son soutien. Les combats qu'il a livrés, les vertus qu'il a pratiquées, les renoncements qu'il s'est imposés, les mérites qu'il a accumulés, tout cela rayonne de la croix sur laquelle reposent avec confiance ses regards mourants.

Oh ! la bonne et consolante mort ! Mourir sous les bras de la croix noire, muni des derniers sacrements, entouré d'une épouse et d'enfants bien-aimés que l'intempérance du père n'a jamais fait souffrir, quelle mort désirable.

Qu'elle soit la vôtre à tous ! »

Chapitre VIII

Le Diable

Jean Du Berger

Emile Legault: Ce matin, nous allons parler du diable. C'est assez amusant. Est-ce qu'il ne joue pas un rôle considérable dans nos contes et dans nos légendes?

Jean Du Berger: Il est un peu le point de convergence de beaucoup de craintes et de beaucoup de frayeurs au Québec. Mais, avant d'aller plus loin, il conviendrait peut-être de distinguer ici entre le conte et la légende. Le conte est un récit auquel on ne croit pas et qui a pour fonction de divertir l'auditoire. Le conteur est un bon acteur qui a un répertoire, un schéma en tête et qui invente là-dessus avec son auditoire. On n'y croit pas, c'est hors de l'espace et du temps: « Il était une fois une belle princesse, un beau prince. »

Emile Legault: Vous disiez tout à l'heure que nos vieux conteurs d'autrefois étaient des acteurs...

Jean Du Berger: Ils étaient, dans la vie du petit groupe qu'était le village, ce que j'appelle l'espace de la fête verbale ou de la fête du mouvement. Le véritable conteur faisait des gestes et animait complètement son récit. Marius Barbeau, par exemple, en a connu sur la côte de Beaupré, comme Louis l'Aveugle qui faisait toute la côte. Cet homme jouait des instruments de musique, chantait et, pendant une veillée de temps, il tenait ses gens sans arrêt. L'espace du conte est un émerveillement, une joie qui a pour but de divertir. Il y a beaucoup de contes. Il y a des contes merveilleux, des contes à rire qu'on appelle des fabliaux. Ces derniers remontent au moyen âge; on est devant une farce médiévale refaite au goût du temps. La légende, c'est autre chose. C'est un récit, encore une fois, mais qui est objet de croyance de la part de l'auditeur et du conteur. Il a toujours, je pense, un petit fondement historique, quelque chose de vrai. Prenons par exemple la roche du diable. Dans l'Islet il y a un rocher avec, dessus, les traces faites par le curé Panet quand il a chassé le démon d'une fille. Je pourrais

Ill. 83. «Le Beau cavalier». Bronze d'Alfred Laliberté, Musée du Québec.

dire qu'il y a toujours un point dans l'espace auquel le récit se rattache et après on invente. Je pense que c'est là une belle fonction de l'esprit humain; nous sommes des êtres du logos, c'est-à-dire du verbe, du mot, et c'est notre fonction de parler, de nous distinguer. Voyons comment la légende travaille. Quand on raconte plus tard ce qui nous est arrivé au collège, les blagues et les farces qu'on faisait, ça devient une saga personnelle, même si ces gestes ont été posés par d'autres individus. À un moment donné, tout ça devient quelque chose d'un peu faux et de magnifiquement vrai. Aristote disait que la légende est plus vraie que l'histoire et je pense, en définitive, que plus ou ment, plus c'est humainement vrai.

Emile Legault: Dites-moi donc quels étaient les principaux thèmes exploités dans les légendes ou les contes en relation avec le diable, ou qui avaient le diable comme personnage.

Jean Du Berger: On pourrait peut-être dire qu'il y a trois sortes de diables au Québec. Il y a un diable justicier, un diable que j'appelle possesseur et un diable pactiseur. Le justicier, c'est vraiment un tueur de la mafia que l'on envoie pour punir les méchants. C'est-à-dire que le Seigneur serait vraiment comme un grand maître, un «parrain». L'univers mental qui est derrière ça, c'est un petit peu un univers fermé. Dieu est là et c'est un être de justice. Il est juste mais un petit peu morose. Il aimerait peut-être se laisser aller à la miséricorde mais il est obligé d'être juste. Si quelqu'un sacre, danse, boit et fait des choses répréhensibles, il n'ira pas, il ne se salira pas les mains, mais il enverra le diable. Le diable c'est l'homme de main, celui qui est sombre. C'est un pauvre type qui, à l'origine, n'a pas eu de chance, il a été condamné et il est tombé. Nous avons beaucoup de récits d'un diable qui intervient sous des formes diverses pour faire la justice. Une des légendes les plus connues présentant un diable justicier, c'est Rose Latulippe. C'est l'histoire d'une fille qui a dansé un soir de mardi gras avec Satan. Il y a plusieurs versions, j'en ai recueilli 500 au Québec. Dans la littérature québécoise on en a peut-être soixante-dix versions. J'ai également trouvé cette légende dans d'autres pays du monde. Il y a toujours de la danse, parce que le mardi gras c'était la grande fête avant le carême. Le carême commençait à minuit et tout s'arrêtait; on ne mangeait plus de viande et c'était très sévère. Alors, voici qu'à onze heures arrive un très bel homme en carriole. Les dernières versions qui nous parviennent des États-Unis nous le présentent arrivant en «Corvette». Alors, il a une belle carriole conduite par des chevaux noirs piaffants et il demande: «Est-ce que je peux danser avec vous?» Comme on est très hospitalier, on accepte. Il danse toujours avec Rose, la fille de la maison, même si c'est mal vu de toujours danser avec le même homme, sauf si c'est son fiancé. Parce que Rose était fiancée, son fiancé était là et il mangeait de l'herbe comme on dit. À partir de ce moment, les gens commencent à se méfier, parce qu'il y a différents signes qui disent que c'est le diable. Pour commencer, il garde son chapeau sur la tête et ses gants. Tout le monde sait que c'est pour cacher ses cornes et ses griffes. De plus, à chaque fois qu'il passe près du berceau d'un enfant, celui-ci se met à pleurer et à hurler. La mère disait: «Mais qu'est-ce qu'il a ce soir, qu'est-ce qu'il a, il est donc bien énervé!» Il y avait aussi une vieille dans son coin qui, elle, priait pour ceux qui péchaient en dansant. Elle disait son chapelet et à chaque fois qu'elle prononçait le nom de Marie ou du Père, le gars qui dansait faisait un saut ou une grimace à la vieille. Alors les hommes de la maison sont sortis et ils ont vu que la neige autour des chevaux avait fondu. Tous ces signes sont alors communiqués au père de famille qui dit: «Il y a quelque chose de pas normal qui se passe icitte.»

Emile Legault: De pas catholique!

Jean Du Berger: On va donc chercher le curé. Dans la version de Philippe Aubert de Gaspé, fils, le curé voit ça dans un rêve. Quelqu'un lui dit: «Dépêche-toi, il y a une âme qui se perd dans ta paroisse.» Il part avec Ambroise, son sacristain, et ils y vont. Dans d'autres versions, c'est le curé qui va porter le viatique et qui voit, sur la cheminée de la maison où on danse, un diable phosphorescent qui tourne et qui danse. Alors, le curé se dit: «il y a quelque chose qui se passe, entrons.» Commence alors la grande confrontation. Les deux opposants se voient, se regardent et le diable répond au curé de façon cavalière: «Non, je ne sortirai pas d'ici. Je ne tiens pas pour chrétiens des gens qui dansent.» Il faut bien dire qu'il était passé minuit, on ne s'en était pas aperçu, mais on était le mercredi des Cendres et on avait dansé pendant le carême. Dans d'autres versions, on trouve aussi que le diable a piqué la fille et a tiré une goutte de son sang. Le pacte est alors signé. De toute façon, le curé ne se laisse pas prendre, parce qu'il sait qu'il ne faut pas discuter avec le diable. Un exorciste ne doit jamais discuter. Le curé prend donc de l'eau bénite, il entoure le cou du diable d'une étole et l'immobilise. Parfois, dans certaines versions, le diable se cache sous le lit avec la fille, ou on lui lance de l'eau bénite jusqu'à le faire hurler. Il vient pour se sauver mais, au-dessus de la porte de sortie, il y a une croix et le diable se lance à travers le mur. Ça fait un trou qu'on n'a jamais pu réparer et il y a des maisons au Québec

Ill. 84. « La veillée du diable ». Esquisse de Charles Huot (1855-1930).

où l'on dit que ça s'est passé. Dans certaines versions, la fille s'est faite religieuse, ce qui à l'époque était peut-être la meilleure chose à faire pour expier ses fautes; dans d'autres, elle s'est mariée, elle a eu beaucoup d'enfants, mais elle n'a plus jamais dansé.

Emile Legault: Et cette histoire se racontait dans les veillées ?

Jean Du Berger: Les curés surtout en faisaient usage dans leurs sermons parce que, au cours d'une soirée, cela aurait un peu brisé la fête.

Emile Legault: « La complainte de la fille qui voulait danser », qui est une chanson de folklore, ne se rapporte-t-elle pas à ce thème ?

Jean Du Berger: Oui, et je l'ai utilisée dans ma thèse de doctorat pour expliciter le thème du diable à la danse. Dans ce cas-ci, ce n'est pas l'histoire du diable qui se présente à la maison pour danser, mais celle d'une fille désobéissante. Le même thème se rencontre dans la chanson enfantine: « Au Pont du Nord un bal y est donné ». On refuse à la jeune fille d'aller danser mais elle y va tout de même. C'est donc le thème de la désobéissance, mais les choses vont plus loin quand elle rencontre un bel homme qui lui passe un anneau au doigt. Il l'amène ensuite au bal où il se métamorphose. Un peu comme dans Rose Latulippe, son chapeau saute, ses griffes traversent ses gants, il entraîne la fille dans le grand feu et c'est sa damnation. Le thème commun à toutes ces versions, c'est donc l'enlèvement d'une fille par un être surnaturel mauvais qui est le diable. Notre mentalité nous a fait entrevoir un monde peuplé de forces, d'esprits telluriques, d'esprits des montagnes, des arbres, des fontaines, des cours d'eau, de la mer, d'esprits masculins ou féminins. Alors, dans ce thème de la désobéissance, la damnation vient donner un sens moral. Dans la chanson d'ailleurs, il y a un vers où on dit: « J'irai, même avec le diable » et c'est là qu'est la faute.

Emile Legault: Alors, c'est là qu'intervient ce thème que vous aviez amorcé tout à l'heure, le curé contribuant à maintenir cette espèce d'ordre.

Jean Du Berger: Oui, car derrière tout ça, qu'est-ce qu'on peut voir? L'ordre du monde. Le monde est organisé. Il y a des choses qu'il faut faire et d'autres qu'il ne faut pas faire. Nous sommes un monde paysan, ce que Redfield appelle le « folk society ». Un monde paysan, un peu fermé sur lui-même et où quelqu'un doit maintenir l'ordre, la cohésion du groupe. Et c'était le curé qui le faisait en utilisant des exemples comme ceux-là. Des vieux nous disent: « Ah ça! c'est le curé untel, il nous faisait peur tout le temps » ou bien des religieuses qui racontaient ces histoires aux petites filles avant de partir pour leurs vacances, pour les prévenir. Le clergé à ce moment-là était un petit peu plus instruit que ses ouailles, je pense; il venait du peuple et il se servait de mots et d'exemples que les gens pouvaient comprendre.

Emile Legault: La pastorale était fortement marquée par la notion de peur, n'est-ce pas?

Jean Du Berger: Oui mais c'était efficace. On agissait sous le signe de la répression, parce qu'il ne s'agissait pas seulement de sauver son âme, d'effectuer un salut personnel mais un salut collectif. Celui qui s'écartait de la norme menaçait le groupe. Une fille qui tournait mal dans le village, c'était tout le village qui était menacé, c'était l'équilibre social, l'équilibre du groupe qui était menacé. Il fallait garder cette homogénéité et cette unanimité. Le déviant, celui qui avait des idées un peu avancées, était mal vu. Il n'était pas jugé officiellement mais il y avait des rumeurs, ce que les Américains appellent le « gossip ». Il y a un folklore restreignant où on écarte les gens, où on les contrôle par la parole. Des récits comme celui de Rose Latulippe viennent justement régler des cas où quelqu'un était près de s'écarter. On raconte alors ce qui est arrivé, on raconte que la chose a déjà été essayée. Prenez, par exemple, le problème des « sacreurs » au Québec. Il y avait des campagnes portant sur le thème « Pourquoi me blasphèmes-tu ? » et où l'on donnait des exemples de bûcherons qui sacraient. On racontait qu'il y avait un homme qui sacrait et les gens l'avaient averti : « Faut pas sacrer, fais attention il va t'arriver des malheurs. » Mais le gars sacrait toujours. Un soir, un grand chien noir arrive à la porte du camp et gratte à celle-ci. On ouvre la porte et aussitôt le chien se dirige vers le lit du bûcheron en question qui se met à hurler de peur. Le chien le prend par le cou, le traîne dehors et le tue. Un homme dit : « C'est le diable qui est venu le chercher, le diable sous forme de chien noir ». Et c'est arrivé souvent. Ç'a été raconté souvent. Le diable vient chercher un « sacreur », une danseuse. Le diable vient punir ceux qui se moquent, qui boivent, qui se querellent ou qui travaillent le dimanche. Il y a, par exemple, à Rigaud, derrière le sanctuaire des Clercs de Saint-Viateur, le champ du diable où les roches ont l'apparence de pommes de terre. L'histoire a pris corps à cause d'un homme qui cultivait des patates le dimanche malgré les avertissements du curé. Il ne reste plus beaucoup de pierres, parce que les gens vont les ramasser comme un souvenir de cette action divine. En fait, ce sont des roches neptu-

Ill. 85. *Le Diable des Forges*. Dessin de Henri Julien, c. 1904.

niennes déposées autrefois par un glacier. Le chanoine Groulx me racontait qu'au bout de la pointe, de la baie de Vaudreuil, il y a une petite île qu'on appelait la barque à Ribaud. C'est un petit îlot de pierre surmonté d'un pin. Alors, le chanoine Groulx racontait qu'un homme allait y pêcher l'anguille le dimanche. Le curé l'avait averti, mais il y allait toujours. Voici qu'un dimanche, sa barque s'est transformée en pierre et le pin, c'est lui. Il a été transformé en pin et il est resté là. Tout cela est maintenant disparu sous le pont de la route transcanadienne. La « Barque à Ribaud » est le dernier monument de l'action du Seigneur et du diable, on confond les deux. Vous avez donc une figure du diable qui fait la justice divine, ou encore d'un être malheureux, damné, qui n'a de cesse de venir chercher des âmes.

Une autre figure c'est celle du diable qui prend possession des êtres humains. Il n'y a pas eu beaucoup de grands cas de possession diabolique ici.

Emile Legault: Est-ce qu'il n'y a pas quelque chose aux forges du Saint-Maurice à ce propos?

Jean Du Berger: Il y a justement le diable qui vient prendre possession des forges. Enfin, c'est l'histoire d'une demoiselle Poulin qui avait des terrains près des forges du Saint-Maurice. Les Vieilles Forges ont toujours eu une certaine réputation parce qu'elles étaient dans un vallon et que les gens qui y travaillaient étaient durs, semble-t-il. C'était très impressionnant, le soir, de voir rougeoyer les feux des forges. Les gens du coin allaient couper du bois sur les terres de mademoiselle Poulin et celle-ci avait prévenu le gérant des forges, M. Bell, qu'elle en avait assez. Elle avait même menacé d'exercer des poursuites. Alors, par boutade, elle dit: « Puisque personne ne veut s'occuper de mes terres, que le diable s'en occupe, je les lui donne ». Et alors on a commencé à voir circuler un grand homme noir portant un large chapeau, qui mesurait et qui prenait des notes. Il y a toutes sortes de faits étranges qui se sont déroulés là. On a vu une tombe portée par quatre hommes noirs traverser la route. Les chevaux s'arrêtaient à certains endroits sur le chemin. Il y avait des charretiers qui passaient, le dimanche, et qui disparaissaient dans un précipice sans que la charrette ne s'abîme. Il y avait des sabbats, le soir, où on entendait des chants et des bruits de chaînes. Il y avait aussi un grand chat noir qui venait près du fourneau, tout près du feu, et qui grossissait quand on essayait de le chasser. Il y avait un nommé Tassé, qui s'était fait toute une réputation parce qu'il s'était battu avec le diable. Il y en a un autre qui s'est battu avec le diable, et c'est Rodrigue Bras-de-Fer, au Labrador. C'est conté par de Gaspé, fils, dans *L'influence d'un livre.* Enfin, le diable possesseur s'empare aussi d'êtres immoraux, soit de leur vivant, soit à leur mort. Vous vous souvenez peut-être des images du catéchisme où on voit le mauvais mourant qui est entraîné

Ill. 86. « La mort du juste et la mort du pécheur ». *Catéchisme en images*, Paris, 1908, pl. 56.

et dont les draps se font arracher par le diable. Nous retrouvons à peu près cela dans l'histoire de Joseph-Marie Aubé, qui est mort au lac Trois-Saumons. C'était un mauvais garçon qui avait tout fait dans sa vie. Sa mère lui avait dit: « Tu es dur, tu es méchant, mais je ne te demande qu'une chose, porte toujours au cou cette image, cette médaille de la Vierge pour moi. » À l'heure de sa mort, il se trouvait abandonné dans un camp du lac Trois-Saumons ! Avant de mourir, il a été approché par un ours qui venait le chercher. Mais quand Aubé élevait la médaille, l'ours reculait. C'est un indien qui l'a vu mourir et qui a raconté cela au curé. Mais voici que, quelques mois plus tard, le même curé reçoit une lettre d'un curé de Bretagne qui demandait ceci: « Est-ce que dans votre paroisse est mort un monsieur Joseph-Marie Aubé il y a quelques mois ? Je vais vous raconter pourquoi, dit-il. Nous avions ici un homme possédé du démon sur lequel je faisais les exorcismes. Un moment donné, pendant trois jours, tout s'est calmé. Mais après trois jours il a été repossédé et j'ai demandé au démon: « Qu'est-ce que tu as fait ? Pourquoi est-ce que tu reviens ? » Eh bien, dit-il, j'ai été obligé de m'absenter trois jours pour chercher l'âme de Joseph-Marie Aubé en Canada et je n'ai pas réussi. Je reviens ici, en Bretagne, reprendre mon ancienne habitation. » Alors, vous voyez, c'était le diable, tellement occupé qu'il était obligé de laisser un travail commencé en Bretagne pour faire une autre sale besogne au Canada. On faisait circuler toutes ces histoires d'un diable qui venait posséder les âmes à la dernière minute. À l'heure de la mort, c'était terrible et même les plus grands saints avaient des craintes, des peurs terribles.

Emile Legault: Est-ce que les curés, eux, y croyaient quand ils prêchaient de cette façon ?

Jean Du Berger: Je me le demande. Pourquoi pas ? Il y avait certainement un enseignement qui parlait du diable. L'Évangile dit que le Seigneur chasse le démon. Il dit aussi qu'il faut faire attention quand on en a chassé un, car il revient avec d'autres et c'est pire que jamais. Ce sont des applications d'un dogme qui dit que le diable intervient dans la vie des hommes, qu'il est présent à tous les carrefours. Et nous étions dans un univers mental qui n'était pas loin de l'univers mental médiéval, où se fait le combat des grandes forces du bien et du mal. C'était un monde dualiste. Mais remarquez bien qu'ici, au Québec, la plupart du temps, le curé intervient à temps. Il vient chasser, il vient sauver et le salut est toujours là. En chassant les démons, le curé donnait un sens aux choses. Il était là pour interpréter les événements, les expliquer. Un autre thème, c'est celui du diable «pactiseur». À titre d'exemple, prenons la belle église du Sault-au-Récollet, près de Montréal, où le diable est venu construire l'église sous la forme d'un cheval noir. Il a construit peut-être vingt-cinq églises à travers le Québec. On construisait donc et on n'avait pas beaucoup de chevaux parce que les gens étaient pauvres. Alors, arrive un beau matin un cheval noir qui traînait autour des ouvriers et on ne le connaissait pas. Alors, on va chercher le curé qui dit: «Écoutez, on va l'atteler et le faire tirer. Ménagez-le pas.» Il lui met une bride qui, en l'occurrence, était une étole et dit: «N'enlevez jamais l'étole, même s'il a bien soif.» On commence donc à lui faire transporter des pierres énormes. On était rendu à la dernière pierre et on voyait dépérir le cheval. Le charretier dit: «On va le dételer et on va le laisser boire. Sans cela, il va mourir, ça n'a pas de sens.» On défait la bride et le cheval part. En sept bonds (chiffre magique), il va s'abîmer dans la rivière des Prairies près du Parc Belmont. D'ailleurs, avant que ce coin ne soit inondé, on pouvait y voir les rapides du «cheval blanc». On raconte que c'était le diable. Cela se rattache à la vieille croyance du diable qui construit des ponts et qui s'empare de la première âme qui passe sur le pont. Pensons au pont de Québec. Ici, les gens racontaient qu'il avait aidé à construire le vieux pont à la condition qu'on lui donne la première âme à passer sur le pont. Comme c'était l'archevêque du temps qui devait inaugurer le pont, il ne voulait pas y aller et, alors, on a envoyé un chat. Le chat a commencé à traverser le pont et au milieu il a éclaté comme un ballon; le diable avait été joué. C'est une farce que l'on retrouve même au moyen âge. Vous voyez donc qu'il fait des pactes pour s'emparer des âmes. Un autre pacte bien connu au Québec, c'est celui de la chasse-galerie où des hommes pactisent avec le diable pour aller voir leurs «blondes». Ils vont partir dans le ciel avec un grand canot mais ils doivent se garder de prononcer le nom de Dieu, ce qui n'était pas facile pour des hommes qui sacraient beaucoup. Ils se rendent à Contrecœur où il y a de la danse. Pendant leur trajet ils chantent: «Non, non, nous n'avons pas peur du prêtre. Non, non, nous n'avons pas peur de ça.» Mais au retour il y en a toujours un qui a peur. Celui qui est à la barre a bu un peu trop, le canot louvoie dans les airs et on frôle les grandes têtes des sapins. Un moment donné, il y en a un qui crie «Mon Dieu!» et là tout se désenchante. On tombe dans la neige et c'est ainsi que se termine la chasse-galerie.

Emile Legault: Il y en a plusieurs versions je pense.

Ill. 87a. «*La chasse-galerie*». Dessin de Henri Julien, c. 1893.

Jean Du Berger: Il y a beaucoup de versions de la chasse-galerie. La croyance veut qu'il y ait eu un duc ou, enfin, un noble français, le sieur Gallery, qui chassait le dimanche. Il demeurait dans le Poitou et avait été condamné à faire la chasse. Mais la véritable légende est scandinave. C'est Wotan, dieu nordique, qui va chercher sa femme Frida-la-blonde. Il passe, dans les ciels d'automne, les grands nuages et on entend cette chasse et les jappements des chiens dans le ciel. Vous voyez la filiation? Nous avons une légende scandinave qui est récupérée au Poitou. Dans un contexte chrétien, ce ne sont plus les dieux qui vont chercher leurs épouses, mais un homme qui est puni pour avoir chassé. Enfin, dans la dernière incarnation, ce sont des bûcherons qui font des pactes. Un vieux a d'ailleurs raconté à Barbeau qu'il avait entendu passer la chasse-galerie alors qu'il allait porter le courrier à Mont-Saint-Pierre. Tout à coup une grande chasse est passée à la hauteur des poteaux de télégraphe. Ça jappait, ça criait. Il appelait cela un « cabat » et on appelle cette légende le « cabat » aux écorchies. »

Emile Legault: Comment les vieux conteurs qui racontaient la chasse-galerie avaient-ils pu prendre connaissance des premières versions de cette légende ?

Jean Du Berger: Il y a peut-être eu quelque part un vieux menteur. Je pense qu'il y a toujours un auteur quelque part; on ne croit plus tellement à la création collective en folklore. Comment interpréter tout cela? C'est que l'homme est plongé dans le mystère et il n'a pas de repos tant qu'il n'a pas nommé les choses. Il faut nommer, identifier le bruit inconnu. Vous êtes à la maison et vous entendez un bruit dans la cave, alors, vous êtes nerveux

Ill. 87b. La chasse-galerie. Dessin de Henri Julien, c. 1898.

tant que vous n'y êtes pas allé et que vous n'avez pas vu la pelle qui est tombée. On veut identifier les bruits et les choses. L'homme est là pour nommer et je pense que les récits viennent justement expliquer, décrypter, arracher à l'univers son mystère. Nous sommes dans le mystère, nous sommes dans l'incertitude, et ces récits sont peut-être une réponse à notre angoisse.

Emile Legault: Est-ce que cette angoisse créait un climat de tristesse, de morosité ou bien y avait-il aussi un climat de fête?

Jean Du Berger: Disons qu'il y avait une peur comme on la connaît encore aujourd'hui. Autrefois on avait peur du démon et maintenant on a peur de l'inspecteur des impôts. C'est le «il» anonyme qui nous menace. L'homme se perçoit comme un îlot de lumière entouré d'ombres menaçantes et, à ce moment-là, il y a peur. Mais je pense tout de même qu'au Québec il y avait une fête, une grande fête, et que la religion n'était pas triste. Prenez l'exemple de la mort. On mangeait, on contait des histoires, les coups que le gars avait fait durant sa vie, et c'était un gros «party». Il y avait donc une salle où le mort était exposé et une autre, à côté, où il y avait une grande joie, qui rejoint peut-être celle des Noirs de la Nouvelle-Orléans quand ils enterrent leurs gens au son du jazz. Au fond, la mort est angoissante mais les gens luttent contre l'angoisse par le rire.

Emile Legault: Est-ce que ce n'est pas justement une façon d'exorciser la peur?

Jean Du Berger: Quand on a peur de quelque chose, on fait des farces. Par cette parole qu'est le rire, on se fait justice face aux choses qui nous menacent. Il n'y a pas eu qu'une fête mortuaire au Québec. Pensez à ces grandes manifestations liturgiques d'autrefois, à ces processions qui tournaient quasiment en parades. Vous avez les pèlerinages avec leur aspect un peu para-liturgique; pour les gens, un voyage à Sainte-Anne de Beaupré, c'était le voyage de leur vie. On y allait en bateau et on s'arrêtait à Sainte-Pétronille de l'Île d'Orléans. Là, il y avait un sanctuaire à Sainte-Philomène qui, à cause des bollandistes, est maintenant disparu. On en profitait aussi pour manger et pour rapporter de nombreux souvenirs. Mais il y avait aussi une fête paysanne, populaire: la veillée. Il y avait cette fête verbale des conteurs de farces où c'était un feu roulant pendant toute une soirée de temps. On vivait une fête énorme, cahotique, qui se terminait souvent par des bagarres, comme c'est le cas des mariages dans la Beauce. On refait le chaos originel pour refaire l'ordre du monde; on fait les fous pour ne pas le devenir. Il y avait une fête verbale, une fête de la chanson, une fête de la danse.

Emile Legault: Ce doit être de plus en plus difficile de trouver de véritables conteurs comme ceux que Barbeau a rencontrés dans Charlevoix.

Jean Du Berger: Je pense qu'il y en a encore mais les enfants, à cause de la télévision, n'ont plus besoin du conteur traditionnel. Voici ce qu'un vieux de Charlevoix nous disait au cours d'enquêtes l'an passé: «Des contes on n'en n'a plus, mais écoute la télévision, regarde la télévision le soir, c'est nos contes d'autrefois mais autrement dits.» C'est-à-dire que, là où il y avait Ti-Jean qui tue le dragon ou la bête à sept têtes, ça va être un détective américain qui va tuer le méchant, qui va faire la justice. C'est le même pattern qui revient. C'est le héros du conte populaire que l'on retrouve quand James Bond va tuer Goldfinger et immobiliser les grandes forces multinationales. C'est toujours la même histoire.

Emile Legault: Est-ce que cette espèce de panique, qui s'emparait de certaines personnes à l'occasion de contes ou de prédications, ne provoquait pas chez quelques-uns une sorte d'évasion où le danger n'existait pas?

Jean Du Berger: Oui c'est vrai. On a eu ici un type d'homme, le coureur de bois, le voyageur des pays d'en-haut, qui ressentait cet instinct du départ. «Ces êtres, dit Savard, au sang de caribou.» Les gens partaient peut-être pour échapper à cet univers, mais ils pouvaient aussi y échapper dans l'espace même du village. J'ai l'impression qu'il y avait deux conduites. Même si le curé pouvait dire: «ne faites pas ça», les gens étaient beaucoup plus libres qu'on ne le croit. Ils n'étaient pas écrasés, ils n'avaient pas peur. On a voulu faire de nous des gens moroses, aux visages pâles et longs, mais les gens d'ici étaient charnels, humains et aimaient à rire. On n'était pas sérieux et c'était peut-être une forme de défense contre toutes ces choses qui faisaient peur. Le mystère était là, mais il se produisait une évasion par le dedans grâce au conte, au chant, à la danse, à cette fête énorme et rabelaisienne.

Emile Legault: Vous avez dit, monsieur Du Berger, que la peur de la mort est un phénomène universel. Dans un tel contexte, le christianisme n'est-il pas libérateur.

Jean Du Berger: Je crois. Toutes ces images que nous évoquons dans les récits répressifs tournent autour d'une bouche qui dévore; nous sommes avalés par quelque chose. C'est une figure de la mort. Le temps est générateur de mort, puisqu'il nous entraîne vers cette fin, et le christianisme, dans tout cela, vient nous mettre hors du temps. Quelqu'un a dit: « Nous sommes sauvés en espérance », et c'est ça. Le chrétien est placé en dehors du circuit réducteur du temps, il est placé dans un autre temps qui, lui, ne finira pas. Qu'est-ce que fait le curé? Il vient réintroduire dans l'ordre du monde, dans l'ordre du salut, les gens qui s'en sont écartés. Car en s'écartant on se réintroduit dans le temps de la mort et en se conformant, en entrant dans le temps du salut, on échappe au temps de la mort. C'est très exactement la Pâque. C'est très curieux de voir que tous les récits qui nous semblent très loin ne font que reprendre, à un autre niveau, le récit du salut tel que donné par l'Évangile.

Quatrième partie

Voir, entendre et toucher

Chapitre IX

L'imagerie religieuse

Pierre Lessard

Emile Legault: Pierre, tu t'intéresses à l'imagerie religieuse populaire et à la collection Villeneuve. Qu'est-ce que c'est la collection Villeneuve ?

Pierre Lessard: C'est une collection qui a appartenu à M. et Mme Maurice Villeneuve de Sainte-Foy. Ce sont de patients collectionneurs qui ont eu l'idée, il y a une dizaine d'années, de collectionner tous les petits objets, comme les images et les médailles, que les gens ont jeté après la « révolution tranquille » au Québec. Ils ont monté une très importante collection considérée maintenant, au niveau de l'imagerie et des médailles, comme étant la plus grande au monde.

Emile Legault: Ça veut dire quoi en chiffre global ?

Pierre Lessard: Ça veut dire d'abord 35,000 images mobiles de petit format, que l'on portait sur soi, dans son missel, dans un livre de lecture. Ensuite, il y a 25,000 médailles; tout le monde connaît l'utilité des médailles. Il y a aussi les albums d'images et une foule d'objets religieux de toutes sortes comme les scapulaires. Il y a aussi des reliques, des statuettes de saint Antoine de Padoue, de saint Jude, que l'on portait dans sa poche, avec sa monnaie, pour ne pas en perdre. Depuis deux ans, je m'emploie à classer tous ces petits objets et à bien savoir ce que c'est exactement.

Emile Legault: Comment sont conservées ces pièces? Sous enveloppes ?

Pierre Lessard: Elles sont conservées dans des classeurs métalliques, sous enveloppes, et sériées selon l'iconographie que l'on retrouve sur les pièces. Les médailles, elles, sont conservées dans de petites boîtes conçues exprès pour cela. On a adopté des techniques très modernes de conservation.

Ill. 88. Différentes images de petit format. Fonds Villeneuve, CELAT, Université Laval.

Emile Legault: Et qui peut consulter ces archives?

Pierre Lessard: En fait, elles ne sont pas ouvertes au grand public, mais tout chercheur qui a un intérêt particulier dans ce domaine est le bienvenu. D'ailleurs des chercheurs isolés viennent, régulièrement, demander à voir les images de tel ou tel saint.

Emile Legault: Est-ce que tu n'es pas à classifier ces images pour en faire des groupes particuliers?

Pierre Lessard: Au niveau de ma thèse, j'ai d'abord voulu cerner l'image comme véhicule de l'illustration. J'ai découvert, après avoir inventorié les 35,000 images, qu'elles se regroupaient en quatre grands genres. La moitié de ces images se rapporte à Marie et la moitié des images relatives à Marie se rapporte aux litanies qui étaient connues du grand public et qui étaient récitées à de nombreux offices à cette époque. L'autre partie des images consacrées à Marie sont des Notre-Dame. Le vocable de Notre-Dame a fleuri étonnamment dans toutes les parties catholiques du monde et ici, au Québec, on s'est approprié ce vocable dans bien des occasions: Notre-Dame-des-Érables, Notre-Dame-du-Canada, Notre-Dame-de-Sherbrooke, d'Etchemin; l'utilisation du vocable de Notre-Dame fait que le Québécois rapproche la Vierge de tout ce qu'il y a de québécois en fait.

Emile Legault: Mais est-ce que toutes ces images étaient imprimées au Québec?

Pierre Lessard: Celles qui se rapportent à des Notre-Dame québécoises ou canadiennes étaient imprimées au Québec. Je n'ai pas encore fait de statistiques mais je peux quand même vous assurer que la grande majorité des images, avant 1950, nous parvenaient d'Europe: d'Italie, de France, un peu d'Angleterre et même d'Allemagne; que 80% de ces pièces nous parvenaient d'Europe.

Emile Legault: Dans ta collection d'images, est-ce que tu intègres les images mortuaires?

Pierre Lessard: Les cartes mortuaires sont considérées comme étant un genre d'image parce que, autrefois, la carte mortuaire ne comprenait pas toujours une illustration ou une photographie du défunt. Bien des fois on ne pouvait pas se payer le luxe d'une telle technique et on avait alors un Christ au tombeau ou un Christ en croix. C'était une imagerie tragique.

A LA DOUCE MEMOIRE DE

DAME VIRGENIE DROLET

Epouse de

FEU AUGUSTIN LESSARD

Décédée à la Jeune-Lorette le 31 mai 1915 à l'âge de 67 ans.

Pourquoi pleurer mon départ puisque la mort est la fin de nos souffrances.

Si vous m'aimez vraiment priez beaucoup, communiez souvent pour moi.

Prier pour les défunts, c'est la meilleure mar que d'une sincère amitié.

Mes enfants, soyez les apôtres du Sacré-Cœur, et ne passez jamais un seul jour sans faire du bien autour de vous.

Cœur Sacré de Jésus, j'ai confiance en vous.
Doux Cœur de Marie, soyez mon salut.
(300 jours d'ind. chaque.)

Cœur de Jésus agonisant, ayez pitié des mourants.

R. I. P.

Ill. 89. « À la douce mémoire de... » Fonds Villeneuve, CELAT, Université Laval.

Ill. 90. « Aime Jésus ». Fonds Villeneuve, CELAT, Université Laval.

Ill. 91. « Gérard Raymond (1912-1932). Québec, Fonds Villeneuve, CELAT, Université Laval.

Ill. 92. « L'Enfant Jésus miraculeux de Prague ». Fonds Villeneuve, CELAT, Université Laval.

Emile Legault : À part Marie, est-ce qu'il y a d'autres thèmes ?

Pierre Lessard : Bien sûr, il y a son fils, le Christ. Beaucoup d'images se rapportent au Christ, mais toutefois moins qu'à la Vierge. Il y a d'abord les images qui se rapportent aux scènes narratives de l'Évangile que tous les Québécois connaissent, à partir de l'Annonce faite aux bergers et aux mages jusqu'à l'Ascension et la Pentecôte, en passant par les deux temps forts des cycles liturgiques que sont Noël et Pâques.

Emile Legault: À part le Christ et Marie il y avait aussi les saints.

Pierre Lessard: Il y en a au Québec qui ont connu de très grandes vogues comme saint Antoine de Padoue, saint Jude ou saint Christophe. Dans les années 1950 ou 1960, chaque automobiliste avait un médaillon ou une image de saint Christophe dans sa voiture. De plus, dans l'imagerie des saints répertoriés, j'ai ajouté les mystiques québécois. Ce sont les fondateurs de l'Église canadienne, comme Mgr de Laval, Marie de l'Incarnation, Mère d'Youville, qui ne sont pas encore des saints au regard de l'Église catholique, mais qui ont connu une grande popularité au Québec. Il y a aussi des mystiques moins connus, locaux, comme Gérard Raymond, ici à Québec, ou Mme Brault. J'ai inscrit ces gens-là dans la catégorie des saints.

Emile Legault: Il y avait des images de Mme Brault?

Pierre Lessard: Oui. Il y en avait de Gérard Raymond, de Marthe Sasseville, de tous ces petits enfants morts en odeur de sainteté ou dont l'exemple était frappant à l'époque. Dans cette catégorie on peut même retrouver John Kennedy; entré dans la légende en son temps, les catholiques américains ont fait imprimer son image. On en retrouve aussi de tous les grands hommes qui avaient un côté mystique, comme Bossuet par exemple. On est porté à croire aussi que l'image est tout d'abord une illustration, mais l'illustration est presque toujours accompagnée d'une prière.

Emile Legault: Cela ne nous fait-il pas entrer davantage dans ce qu'on pourrait appeler la dimension spirituelle de nos ancêtres?

Pierre Lessard: Exactement, et c'est celle-là qui m'intéresse.

Emile Legault: Alors, parlons des prières.

Pierre Lessard: Les gens sont portés à croire que l'image ne véhicule qu'une illustration, ce que je peux démentir catégoriquement, car, la plupart du temps, cette illustration est accompagnée d'une prière. J'ai examiné toutes ces prières et j'en ai trouvé cinq grands genres. Il y a d'abord les courtes prières et les invocations comme « Sainte Jeanne d'Arc, priez pour moi »; elles figurent habituellement au bas de l'illustration. Ensuite, il y a les prières de circonstance qui sont plus nombreuses; elles ont été faites par le clergé pour des circonstances particulières de l'année ou de la vie de l'individu. Dans l'année, vous avez une prière spéciale pour le jeudi saint, une prière que l'on peut réciter toute l'année, mais qui a été préparée spécialement pour le jeudi saint. Il y a aussi des prières qui sont préparées pour des instants précis, pour des circonstances particulières de la vie de l'homme: à l'article de la mort, dans les tentations. Il y a des prières pour toutes les heures de la journée de l'individu, que l'on appelle les «horloges de prière». Ensuite, il y a les prières de demandes particulières que traînaient avec eux certains saints. On ne demandait pas n'importe quoi à n'importe qui dans la société religieuse traditionnelle; saint Jude par exemple, patron des causes désespérées, était le saint du dernier recours, sainte Cécile était la patronne des musiciens et saint Antoine de Padoue servait à retrouver les objets perdus. Ces prières, que l'on trouve le plus souvent derrière l'image, sont fréquemment indulgenciées par l'Église. Il y en avait aussi pour les femmes enceintes ou contre le choléra, le feu ou le communisme. Finalement, il y avait une grande quantité de prières ou d'actes divers qu'on disait spécialement pendant un office religieux ou dans une circonstance spéciale, comme au moment d'une mortalité ou d'un mariage. Dans cette catégorie, on trouve des actes, des triduum de prières, des neuvaines. Il y a un grand nombre d'images qui s'ouvrent en petits feuillets et qui contiennent une prière pour chaque jour de la neuvaine, que ce soit la petite neuvaine à Thérèse de l'Enfant-Jésus ou la neuvaine de la grâce à saint François-Xavier.

Emile Legault: Et toi qui palpes régulièrement ces images, tu dois y retrouver l'impression de doigts, une marque bien précise qui montre qu'elles ont été utilisées.

Pierre Lessard: La première marque c'est l'usure. À l'époque où il y avait de très belles images faites au fer à dentelle, vers 1910 ou 1920, la dentelle est parfois abîmée. On note parfois que les images sont passées entre des mains d'enfants parce qu'elles sont coloriées. Parfois, il y a un nom écrit derrière l'image. Au niveau de l'utilisation, c'est facile. On voit que l'homme s'en est servi parce qu'elle sert d'aide-mémoire. Derrière une image, je peux retrouver les résultats d'une partie de hockey, une recette de punch sans alcool, un petit refrain appris à l'école ou le nom de l'ami(e) qui nous a donné l'image. On peut retrouver ainsi une foule de choses.

Emile Legault: As-tu l'impression que ces images, avec leur littérature, constituaient une sorte de catéchisme populaire approprié pour les gens?

« après 1 journée de « chicane » ...

Garde cette image en souvenir de notre ré-conciliation, le mercredi soir 14 Février 1940

Huguette Pelchat

Ill. 93. « Après 1 journée de chicane... » 1940. Fonds Villeneuve, CELAT, Université Laval.

Pierre Lessard: C'était exactement ça, c'était ce dont se servait le plus régulièrement l'homme. Il se servait de son chapelet, il portait les médailles, il avait de grandes images dans sa maison, mais dans son livre de messe il y avait une quantité d'images de valeur et de signification différentes. L'illustration et la prière perdent un peu d'importance quand l'image sert de signet, mais dans son missel l'homme religieux avait des images importantes qui faisaient presque partie du missel. C'est le cas des cartes mortuaires qui lui rappellent ses amis. Il avait ainsi avec lui toute sa famille; c'est impossible de traîner un cadre ou une grande photographie de l'être aimé. Alors, il apporte une carte mortuaire qui lui rappelle l'époque et les circonstances de cette mort. Il prie donc pour ces personnes défuntes quand il va à la messe ou aux offices religieux.

Emile Legault: J'ai deux souvenirs à te rappeler. J'avais un oncle célibataire, Joseph, fort comme trois hommes, qui travaillait souvent à l'extérieur chez des cultivateurs. Il pouvait parfois parcourir trois ou quatre milles de distance, le soir après sa journée faite, pour retrouver son calendrier du Bon-Pasteur. Dans ce temps-là, les sœurs du Bon-Pasteur publiaient un calendrier avec un texte religieux à l'endos de la page du jour. Mon oncle y tenait beaucoup; il allait là-bas prendre sa leçon de théologie.

Pierre Lessard: C'était un grand moyen de diffusion auprès du public.

Emile Legault: Autre chose. Nous avions, dans la salle à dîner chez nous, un grand cadre sur fond de velours violet avec les poignées de cercueil, la photographie de mon grand-père et le crucifix qui avait été enlevé du cercueil avant la mise en terre. Maman tenait énormément à la présence de tout cela, mais ça faisait partie aussi, je pense, du folklore religieux. Mais je voudrais te demander une chose. Est-ce que ces images étaient, habituellement, réussies artistiquement?

Pierre Lessard: Il y a eu des époques de qualité artistique. Avant 1930 ou 1940, approximativement, les images n'étaient pas polychromes. Les techniques de production étaient des techniques de gravure et les images étaient en noir et blanc ou en tons dégradés. Elles étaient très jolies; c'étaient des petits formats originaux très bien dessinés, la plupart du temps dentelés et très soignés. Personnellement, il me semble qu'après 1940 ou 1950, les nouvelles techniques ont fait que les images étaient plus modernes et intéressaient davantage les jeunes, mais que leur niveau artis-

Ill. 94. «Oeuvre de la Ste-Enfance». Fonds Villeneuve, CELAT, Université Laval.

tique avait changé un peu. D'ailleurs, les informateurs que je rencontre me disent: « Ah! les belles images de dentelle de ma jeunesse! Aujourd'hui, c'est moins joli, il y a trop de couleurs, il y a trop de monde! » Ils aimaient une image simple où il y avait le Christ avec une jeune fille ou un jeune garçon, toutes ces images de première communion avec de belles dentelles, parfois même des velours et un petit dessin fait par une religieuse sur l'image.

Emile Legault: Cette image servait d'ailleurs souvent de cadeau aux bons élèves.

Pierre Lessard: C'était même un cadeau très apprécié. Je n'ai pas eu besoin de faire de nombreuses enquêtes pour voir que les gens adoraient les recevoir en cadeau. À l'époque, c'était le plus beau cadeau qu'on pouvait faire que de donner une belle image à la première communion, à la confirmation, à la communion solennelle.

Emile Legault: On a porté un jugement très sévère sur la prédication des temps passés, où l'on avait comme thème préféré, surtout à l'époque des retraites paroissiales, la peur de l'enfer et les terreurs du diable. Est-ce que les images reflètent ça?

Pierre Lessard: C'est assez curieux. Je m'attendais à trouver tout plein d'images sur l'enfer, ce chemin tortueux, le « gripette » ou la pendule de l'éternité, mais je n'en ai pas trouvé. Je sais qu'il en existe dans l'image de grand format, mais ce sont des objets rares maintenant; on en retrouvait encore chez les antiquaires il y a une dizaine d'années. On pouvait découper, encadrer ces images-là et les mettre dans la maison. Mais dans l'image de petit format qui accompagnait toujours l'homme religieux, je n'en ai pas trouvé et je ne crois pas qu'il y en ait.

Emile Legault: Est-ce qu'on peut aussi insérer les cartes postales dans ta collection?

Pierre Lessard: Oui, elles peuvent être considérées comme une image et, en plus, elles ont la possibilité de voyager; il suffit qu'on les retourne et qu'on leur mette un timbre. Il y a beaucoup de cartes postales qui sont des reproductions de grandes œuvres qu'on achetait dans les musées européens ou du pays; c'est la belle Madone de Botticelli ou un saint Joseph finement sculpté. C'était donc considéré comme une image, malgré que son format dépasse un peu le format de l'image de dévotion populaire. Alors, même si elle est un peu plus grande, on peut lui faire jouer le même rôle.

Ill. 95. « L'Enfer ». *Catéchisme en images*, Paris. 1908, pl. 17.

Emile Legault : En as-tu plusieurs dans ta collection ?

Pierre Lessard : Plusieurs. Il y a aussi les cartes postales qui sont des souvenirs de lieux de pèlerinage. Ceux-ci mettaient à la disposition du public toutes sortes de choses : des images, évidemment, et aussi des cartes postales où l'on retrouve une photographie du lieu de pèlerinage ou de la statue. On retrouve une grande quantité de cartes postales, d'images et de souvenirs de lieux de pèlerinage. J'ai répertorié quarante lieux de pèlerinage dans l'image, dont plus de la moitié sont européens. Je parle des grands lieux de pèlerinage comme Notre-Dame-de-Lourdes et Notre-Dame-de-la-Salette, en Europe; Sainte-Anne-de-Beaupré, Notre-Dame du Cap et l'Oratoire Saint-Joseph au Québec. Il y avait aussi une foule de petits endroits qui faisaient imprimer des médailles, des images et là je pense à Notre-Dame-de-Lourdes de Gaspé, à Notre-Dame-de-Lourdes de Mont-Joli ou à Notre-Dame-de-la-Salette de Endfield. Tous ces lieux de pèlerinage avaient leur propre matériel de propagande, marqué à leur nom. On retrouve donc des images et des médailles venant de ces endroits. Au Québec, on a eu une quinzaine de lieux assez importants pour faire imprimer des images. Il a existé beaucoup d'autres lieux de pèlerinage mais qui n'avaient pas l'importance pour le faire.

Emile Legault: Et les bouquets spirituels?

Pierre Lessard: C'est une autre tradition québécoise mi-religieuse, mi-folklorique. Le bouquet spirituel, c'était le cadeau de remerciement qui se faisait dans bien des circonstances. Bien souvent, c'était un religieux qui le recevait. Toutefois, de nombreux laïcs l'ont reçu aussi. Quand un religieux, par exemple, avait passé vingt-cinq ans dans une communauté, ses élèves, ses confrères et ses consœurs, se réunissaient et, pendant un certain laps de temps, ils accumulaient des dévotions de tout genre, à partir du simple acte de charité jusqu'aux messes, aux communions et aux quarante-heures. Tout ce monde-là se regroupait et il y avait quelqu'un qui se chargeait d'additionner toutes ces bonnes actions et de les offrir à la personne concernée. On retrouve des bouquets de petit format, où les totaux sont incroyables; quand une paroisse se réunissait, on pouvait atteindre jusqu'à 30 ou 40,000 messes entendues. Quand tous les gens d'un village allaient à la messe tous les matins, imaginez le total que ça faisait au bout de deux mois. C'était le cadeau de l'époque, car ces images sont habituellement de très belles pièces faites à la main, sur du papier parchemin de qualité, par des religieuses très habiles. Le bouquet spirituel, en fait, c'est l'ancêtre de l'adresse qu'on lit aujourd'hui et qui, elle, est de grand format.

Emile Legault: Est-ce que l'on retrouve des écritures, des marques olographes sur ces images?

Ill. 96. « Les adieux du missionnaire ». Fonds Villeneuve, CELAT, Université Laval.

Pierre Lessard: J'ai remarqué qu'environ 10% des images portaient des marques écrites. On note d'abord la marque du propriétaire qui écrit tout simplement son nom, la date à laquelle il a reçu son image et ce qu'elle commémore. Il y a des images qui indiquent clairement à quoi elles ont servi: souvenir de première communion par exemple. Il y en avait deux sortes. Il y avait les marques imprimées, dans les grandes circonstances comme une ordination ou une première messe. C'était une coutume du prêtre de faire imprimer des images à cette occasion-là et de les distribuer à ses amis. D'autres, par contre, faisaient des inscriptions à la main: «souvenir de mon ordination» ou «souvenir de l'ordination d'un de mes amis», et l'on commémorait ainsi tous les grands passages de la vie religieuse d'un individu: son baptême, sa première communion, sa confirmation, sa communion solennelle et, parfois, le mariage. Il y avait ensuite l'ordination, l'entrée dans la vie religieuse, les départs de mission des groupes ou des individus. Bien souvent aussi, les plus petits événements de la vie religieuse, comme le sous-diaconat ou une simple visite paroissiale, étaient soulignés. Il y a même des curés qui faisaient imprimer des images pour la visite paroissiale et un bon nombre d'entre eux donnent encore des médailles et des images à ceux qui en veulent bien. L'image, c'est aussi un aide-mémoire qui nous rappelle un événement heureux: la visite d'une sœur religieuse ou d'un frère prêtre qu'on n'a pas vu depuis longtemps, un moment de classe. Souvent les jeunes filles et les jeunes garçons s'en donnaient: «à mon ami (e) pour sa gentillesse». Quand on regarde ces marques olographes, on voit toute la vie traditionnelle qui se développe devant nous, tous les petits et les grands moments de la vie.

Emile Legault: À travers tout ça, peut-on dire que la foi qui animait nos gens était profonde ou superficielle?

Pierre Lessard: Je vais vous donner une réponse, la mienne, mais je ne voudrais pas qu'elle ait une valeur académique. L'image n'est qu'une partie des artefacts de la tradition populaire et il faudra, un jour, faire déboucher notre étude sur tous les artefacts et tous les gestes religieux qui ont été posés. Dire, au niveau de l'image, que ç'a été superficiel est exagéré, parce que les notes écrites que l'on retrouve derrière certaines images sont trop importantes pour être banales. Ce sont des moments précis de l'homme; il ne faisait pas ça pour éblouir les autres ou s'éblouir lui-même. Prenons l'exemple de la carte mortuaire. Je ne vois pas comment le fait de porter une carte mortuaire dans son missel pourrait être un geste superficiel ou banal: c'était se rappeler un individu.

cher. Mais on pouvait aussi s'échanger des images pour le plaisir. Même les enfants collectionnaient les images, un peu comme aujourd'hui on collectionne les cartes de joueurs de hockey ou les coupures de journaux. À une époque, tout cela était très important, tant pour l'enfant que pour l'adulte.

Emile Legault: Quand, à chaque matin, tu te retrouves devant ta collection, comment réagis-tu?

Pierre Lessard: D'abord sans aucune agressivité, car si on est agressif devant un matériel du genre, on peut immédiatement fausser son jugement. Il faut toujours considérer ce matériel-là objectivement, comme faisant partie d'un monde qui, s'il n'est pas disparu, disparaîtra bientôt. Il faut dépasser l'objet lui-même, qui devient un prétexte d'étude, pour tenter de comprendre le geste de l'homme qui se cachait derrière. Aujourd'hui, l'image est un objet; il faut voir comment et à quelles fins l'homme s'en est servi pour essayer de situer le geste religieux dans son contexte. Je ne crois pas qu'il faille sortir un geste de son contexte, car à ce moment-là toute chose peut devenir ridicule. Au contraire, en le laissant dans son contexte, il prend des allures de charmante simplicité, de douceur, de candeur, et on peut redécouvrir une partie de l'homme québécois qu'on a voulu cacher. Et cette partie a, comme les autres, forgé l'homme québécois et je ne vois pas pourquoi on la laisserait de côté.

Emile Legault: Pierre, tu es de la génération de ceux qui, pour plusieurs en tous cas, ont été traumatisés par une religion légaliste, parfois imposée, sociologique, et qui ont de la misère à s'en défaire. Comment expliques-tu que toi, un universitaire, vivant dans un milieu assez multiculturaliste, tu puisses avoir cette attitude d'accueil, de non-agressivité, et que tu te sentes à l'aise?

Pierre Lessard: Je peux tenter ma petite explication. Vous dites que la religion, à un certain moment, imposait ses lois et ses dogmes. Jamais je n'ai senti son poids. J'ai senti son rituel, son rite peut-être parfois exagéré à l'époque, mais jamais cela ne m'a écrasé. Il n'y a donc pas eu de réactions violentes. Toute cette ambiance de mon enfance m'est revenue et quand elle me revient, elle me revient avec le sourire.

Œuvre Pontificale de la Ste-Enfance

Francine
(nom du filleul ou de la filleule)

REMERCIE *de tout son petit cœur*

Christianne
(nom du parrain ou de la marraine)

de lui avoir obtenu la grâce
du Saint BAPTÊME.

Ill. 97. « Oeuvre Pontificale de la Ste-Enfance ». Fonds Villeneuve, CELAT, Université Laval.

Chapitre X

Les objets de piété

Pierre Lessard et Pierre Gravel

Emile Legault: Pierre Lessard, qui fait partie du Groupe de recherche sur la religion populaire de l'université Laval, sous la direction de Jean Simard, nous ayant parlé une première fois de l'imagerie, de l'homme et des objets de piété dans la vie traditionnelle, a eu cette heureuse idée de nous amener un témoin, monsieur le curé Pierre Gravel. Ce dernier était, jusqu'à ces tout derniers temps, curé de Boischatel. Combien de temps avez-vous été là?

Pierre Gravel: Presque trente ans.

Emile Legault: Vous avez beaucoup parlé, monsieur le curé, dans votre vie...

Pierre Gravel: Beaucoup parlé, beaucoup écrit, fondé plusieurs journaux.

Emile Legault: Et je pense que les gens se pressaient dans l'église pour entendre le sermon du curé.

Pierre Gravel: Dans ce temps-là on allait écouter les sermons des curés. Il y avait du monde dans l'église et c'était intéressant de parler devant le peuple parce qu'il était prêt à écouter. Je trouve que les Canadiens français, nos fidèles en somme, étaient instruits de leur religion et qu'on ne pouvait pas leur dire n'importe quoi. Ils avaient appris leur petit catéchisme qui était un résumé de la *Somme* de Thomas d'Aquin. Si on trouvait ça parfois difficile ce qu'on leur enseignait dans le petit catéchisme, au bout de quinze ou vingt ans, ça les aidait à vivre.

Emile Legault: Admettez, en toute modestie, que vous aviez une culture assez remarquable.

Pierre Gravel: J'avais beaucoup lu.

Emile Legault: Alors, aujourd'hui, nous allons parler de l'homme et des objets de piété dans un passé qui n'est pas tellement éloi-

Ill. 98. «Commandements de l'Église [3e et 4e)». *Catéchisme en images*, Paris, 1908, pl. 50.

gné de la vie traditionnelle des gens. Vous avez vu des choses de ce genre-là ? Ça consistait en quoi ?

Pierre Lessard: D'abord, il y avait les petits objets de dévotion que l'homme avait constamment en sa possession. Personnellement, j'ai étudié plus spécialement l'image de petit format, mais il y avait bien d'autres choses. Il y avait entre autres des scapulaires, des médailles, des « Agnus Dei », des petites statuettes qu'on pouvait porter sur soi et que l'homme avait constamment sous la main. Ça le rapprochait du sacré.

Emile Legault: Êtes-vous capable de confirmer ça, monsieur Gravel ? Avez-vous vu ça ?

Pierre Gravel: Mon père me racontait par exemple qu'il était allé dans les concessions de Château-Richer. Il allait souvent dans le bois ; il avait une érablière là-bas. Il portait toujours sur lui une statuette de saint Antoine de Padoue pour retrouver les objets ou les chemins dont on s'écartait. Un jour qu'il était dans le bois avec un de ses frères, ils se sont écartés. Alors, il me disait : « Si ça t'arrive, au lieu de continuer à chercher partout le chemin, ton affaire c'est de t'asseoir ». Il disait : « Je me suis assis sur une souche et j'ai dit à mon frère : « prends l'autre souche ». J'ai mis ma statuette de saint Antoine de Padoue à côté de moi et j'ai fumé une bonne pipe. Je me suis calmé et, quand j'ai eu terminé de fumer ma pipe, je me suis levé et j'ai regardé ; le chemin était à cent pieds de nous. Nous étions en train de tourner en rond. » Quant à ma sœur aînée, elle avait aussi une dévotion à saint Antoine de Padoue. Lorsqu'elle ne trouvait plus les objets, elle plaçait saint Antoine de Padoue dans un coin, en pénitence, ou encore dans un tiroir, la tête tournée vers l'intérieur. Elle venait à bout de trouver ses affaires. Ça m'arrive aussi très souvent. Si j'égare des choses, que je cherche un papier, je prie saint Antoine et je lui dis : « Donnez-moi une chance, il faut que je retrouve cette chose d'ici à cinq minutes ». Dans trois ou quatre minutes, je l'obtiens. Je crois à ça et j'en profite moi-même.

Pierre Lessard: Est-ce que vous ne m'avez pas raconté aussi que vous portiez, jusqu'à tout récemment, des « Agnus Dei ». Est-ce que vous pouvez nous rappeler ce que c'était exactement ?

Pierre Gravel: C'était un petit sachet de linge, en forme de cœur, sur lequel était imprimé « Agnus Dei ». Les gens portaient ça sur eux ou les mettaient sur un bureau, une commode, dans une maison. Ces « Agnus Dei » étaient bénits à l'église lors d'une cérémonie spéciale. Dans le rituel, on retrouvait même une prière

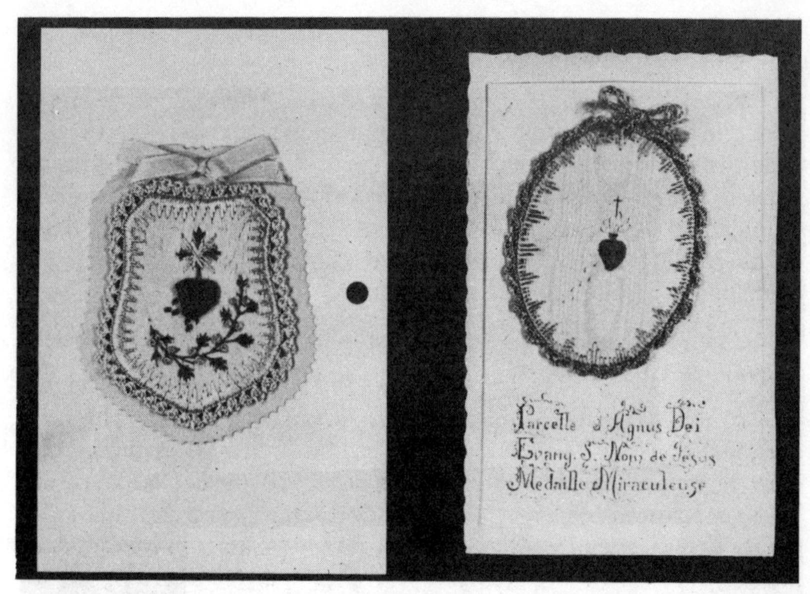

Ill. 99. « Agnus Dei ». Fonds Villeneuve, CELAT, Université Laval.

spéciale pour l'« Agnus Dei ». Il y avait aussi une prière spéciale pour la bénédiction des gorges à la Saint-Blaise. Les Irlandais surtout étaient « dévotieux » à saint Blaise et, à Thetford-Mines, dans ma jeunesse sacerdotale, c'est eux surtout qui tenaient à ce qu'on bénisse les gorges. On se servait aussi de deux chandelles jointes, croisées, que l'on allumait. Ça se faisait aussi à Château-Richer dans ma jeunesse.

Emile Legault: Quelle relation existe-t-il entre le mal de gorge et saint Blaise ?

Pierre Gravel: Tout d'abord parce qu'une fois il aurait avalé une arête et s'en serait guéri. La deuxième raison, c'est qu'il a guéri un petit enfant qui, lui aussi, avait avalé une arête. La troisième raison, c'est qu'il a été tué d'un coup d'épée à la gorge.

Emile Legault: Et les médailles... il devait y en avoir quantité.

Pierre Gravel: Par exemple, j'ai passé ma jeunesse à Saint-Roch et il y avait des médailles de saint Roch. Il y a eu aussi les médailles-scapulaires qui ont remplacé les scapulaires d'autrefois ; les chrétiens, dans ma jeunesse, ont pris du temps à accepter la médaille-scapulaire. Ils préféraient le linge, le grand scapulaire.

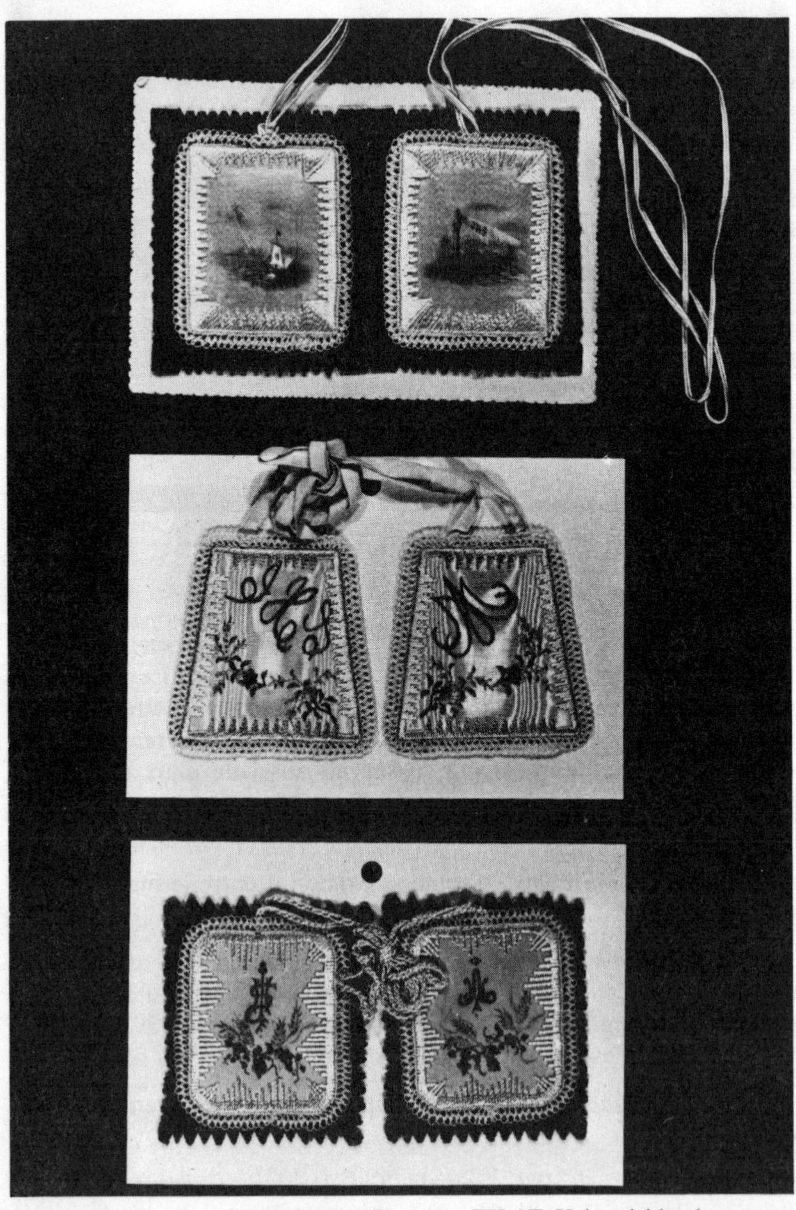

Ill. 100. Les scapulaires. Fonds Villeneuve, CELAT, Université laval.

Les grands scapulaires d'autrefois pouvaient presque remplacer une chemise. Il y en avait qui couvraient toute la poitrine et le dos. De plus, pour se préserver des grippes, des congestions pulmonaires, ils attachaient au scapulaire un petit sac camphré. Quand j'étais enfant, c'était encore la mode dans ma famille. Ainsi donc mes sœurs aînées n'ont pas attrapé la grippe espagnole et elles disaient que c'était grâce au camphre et, évidemment, grâce au scapulaire qui portait le camphre.

Emile Legault: Est-ce qu'on a épuisé, à peu près, le problème des objets portés par l'homme?

Pierre Lessard: En fait, on a parlé de tous les petits objets car, même si on avait de grands scapulaires, on ne pouvait pas porter de grandes images. Aussi, dans la maison, dans certaines pièces en particulier, la cuisine ou le salon, on retrouvait une foule d'objets de dévotion de grand format. Tout d'abord, les grandes images. Tous les thèmes y passent: la Sainte Face, la Sainte Famille, les Cœurs de Jésus et de Marie et tous les saints qu'on privilégiait. Ensuite, il y avait le crucifix qui était présent dans tous les appartements. Après, ce sont les rameaux bénits, les grands chapelets, les oratoires domestiques, les statues avec un lampion qui brûle toujours ou quelque décoration du genre. Alors, l'homme était encore en relation avec le sacré dans le lieu où il passait la plus grande partie de son temps, la maison. Si on parle d'une ferme, on pouvait aussi en trouver dans les dépendances. Je suis allé encore dernièrement dans un petit village de la Beauce, dans une cabane à sucre où il y avait une statue de Notre-Dame-des-Érables, protectrice des «cabanes à sucre». Donc, partout où l'homme vivait, il y avait des choses qui lui rappelaient la présence constante du ciel.

Pierre Gravel: Il y a eu aussi la croix de tempérance. Il y en avait autrefois dans presque toutes les maisons. Mon père, mon grand-père étaient menuisiers, le père du grand-père de mon père était menuisier aussi, et ce sont eux qui construisaient leur croix. Un jour, à l'Ange-Gardien, j'ai assisté au service d'un de mes oncles qui était, lui aussi, entrepreneur-menuisier. Alors, Mgr Plante, l'ancien évêque auxiliaire de Québec, qui était le curé, prend la croix de tempérance qui avait été déposée sur la tombe. Avant qu'on ne descende la tombe dans la fosse, il prend la croix de tempérance, la fait baiser par le fils aîné et la lui transmet. La croix de tempérance passait donc de père en fils dans la maison. C'est sous cette croix de tempérance ensuite qu'on récitait le chapelet et la grande prière.

Ill. 101. Petit crucifix d'intérieur. Sculpté en 1976 par Pierre Bisson, Saint-Léon-de-Standon.

Emile Legault: Avez-vous beaucoup vu de statues dans votre paroisse de Boischatel?

Pierre Gravel: Il y en avait dans toutes les maisons. À Saint-Roch, c'était la statue de saint Roch.

Emile Legault: Mais cette imagerie qui décorait les murs, présentait-elle des qualités artistiques?

Ill. 102. Croix de tempérance.

Pierre Gravel: On tenait à avoir quelque chose de très beau et, quand ce n'était pas sculpté par les talents de la maison, on les faisait sculpter par de vrais artistes. Il y avait par exemple, à Sainte-Anne-de-Beaupré, un Auger qui était un bon sculpteur et qui a décoré beaucoup de crucifix et de statues de la côte de Beaupré. Dans bien des maisons, on mettait la statue du patron de la paroisse.

Emile Legault: Bon. Maintenant, passons donc à la question de l'environnement, ce qu'on pourrait appeler l'écologie.

Pierre Lessard: C'est que, en plus de tous les objets dont on vient de parler, le Canadien français disposait dans le paysage beaucoup de choses. D'abord, assez près de sa maison, on retrouve encore, dans certaines paroisses de la campagne, de petites grottes élevées à la Vierge ou à d'autres saints. Il y a aussi des villages où on peut voir que toutes les maisons ont leur petite grotte traduisant les dévotions particulières des familles et, en plus, dans un rang ou tout près du village, on élevait une croix de chemin. L'abbé Gravel peut nous raconter bien des faits à propos des croix de chemin et des calvaires.

Pierre Gravel: À Boischatel, j'avais implanté cette dévotion à la croix du chemin. Alors, durant l'été, au lieu de chanter les vêpres le dimanche au soir, nous nous réunissions à une des croix du chemin. Il y en avait cinq à Boischatel. Je récitais le chapelet, je faisais chanter des cantiques à la sainte Vierge, je faisais un petit sermon d'une dizaine de minutes et puis, après ça, les gens chantaient de vieux chants de folklore. Un jour, il y avait eu une chicane dans la paroisse de Boischatel et les cultivateurs s'étaient montés les uns contre les autres. Ça avait été assez dur. Alors, pour mettre de l'ordre là-dedans, ils ont dit: «on va faire un calvaire de l'entente». C'était une belle croix qui unissait les quatre bouts du chemin et j'allais y dire la messe deux fois par été, en pleine forêt, au milieu des érables. C'était inspirateur! On arrivait et, de loin, on apercevait cette belle croix blanche.

Emile Legault: C'était comme une cathédrale!

Pierre Gravel: Ah! c'était comme une cathédrale! C'est Lamartine qui a dit: «Que tes temples, Seigneur, sont étroits pour mon âme!»

Pierre Lessard: Tout à l'heure, l'abbé Gravel nous a dit que, devant son presbytère, il y avait une statue. On voit que ça se faisait même en ville. Ici, à Québec, on peut encore se promener et voir, à l'arrière des maisons, une petite grotte.

Emile Legault: Et les chapelles de procession? C'était bien en vogue autrefois?

Pierre Gravel: Oui. Il y en a à Château-Richer et deux à L'Ange-Gardien. Comme c'était difficile à entretenir pour la fabrique, le curé du temps, il y a quelques années, a confié une des chapelles à la famille Laberge et l'autre à une famille Bouillon, je pense. Quant à moi, j'ai construit la chapelle Gravel à Château-Richer, sur la terre de mon ancêtre, en 1941. J'y allais presque tous les dimanches après-midi, l'été, pour recevoir les touristes américains et canadiens. Ce sont surtout les Américains qui s'y arrêtent, qui viennent prier et qui mettent quelques sous sur l'autel pour aider à l'entretien de la petite chapelle.

Emile Legault: Est-ce que ces petites chapelles servaient souvent?

Pierre Gravel: Pour la procession de la Fête-Dieu.

Emile Legault: Pour la Fête-Dieu seulement?

Pierre Gravel: Parfois les curés qui aimaient dire le chapelet dehors invitaient les gens à la chapelle pour le mois de Marie. Mais ça servait toujours à la Fête-Dieu.

Emile Legault: Pierre, il y a la question de l'utilisation des images, de l'eau bénite et de toutes ces choses.

Pierre Lessard: Aujourd'hui, si on regarde ça d'une manière scientifique, ça peut nous paraître un peu curieux. Mais, à l'époque, l'ambiance sociale et religieuse faisait poser certains gestes extraordinaires, comme celui, par exemple, de manger des images. Il ne faut pas s'étonner et, surtout, il ne faut pas croire qu'on mangeait des images de trois pieds par deux. D'ailleurs M. Gravel peut sans doute nous en parler.

Pierre Gravel: J'ai connu à Thetford un enfant qui s'était étouffé en avalant une arête de poisson. Le médecin avait dit qu'il allait mourir et je lui avais donné une petite image en papier. Il l'a avalée, et, dans le cours de la journée, il a rejeté l'arête par les voies naturelles. Évidemment, le prêtre ou le laïc qui fait ces gestes a tout de même besoin d'avoir la foi. Il doit croire que le bon Dieu peut se servir de moyens très simples, très humbles, pour nous aider et nous obtenir des choses merveilleuses qui prennent l'allure de miracles.

Emile Legault: C'est ce qu'on ne sait pas assez. On pense qu'il y a une vertu automatique à l'usage de ceci ou de cela.

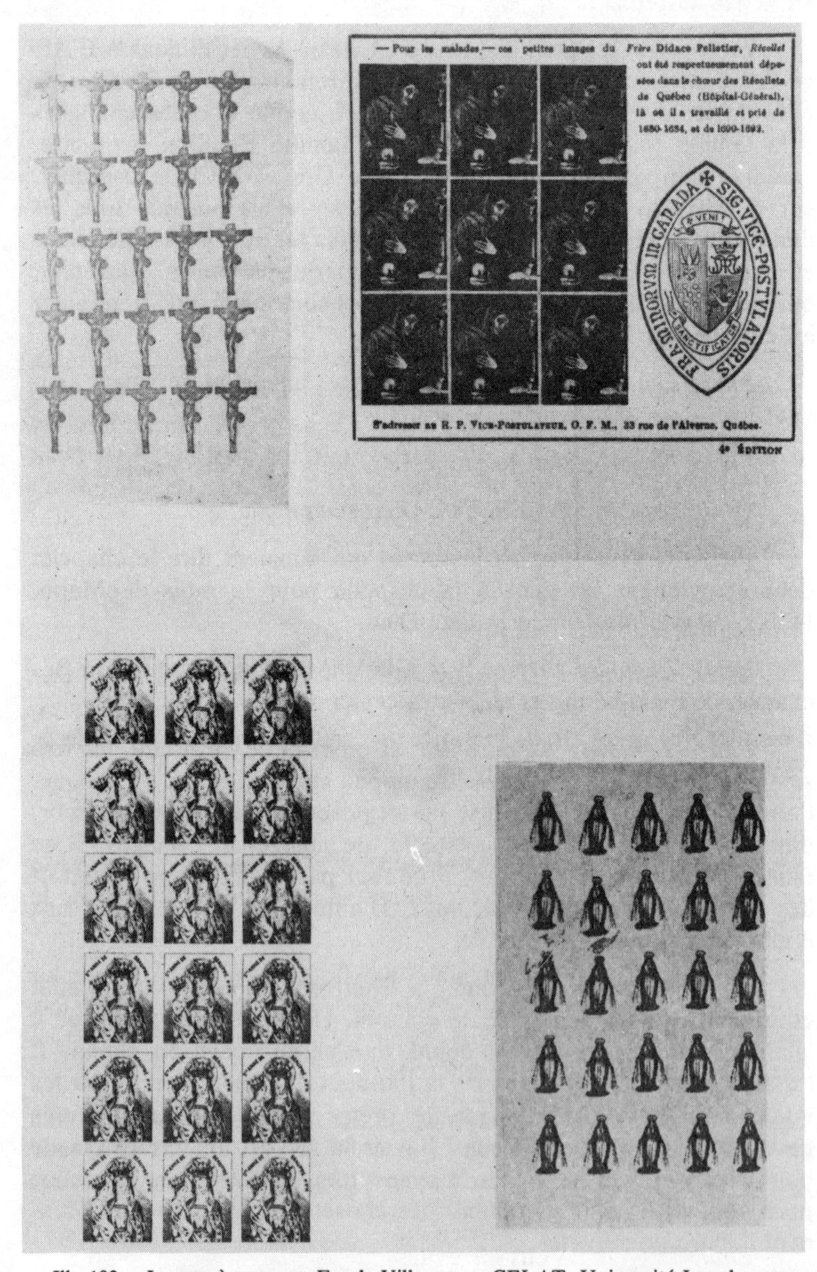

Ill. 103. Images à manger. Fonds Villeneuve, CELAT, Université Laval.

Pierre Gravel: À Château-Richer, par exemple, l'abbé Apollinaire Gingras «montait» un jour dans la concession. Au premier détour, il aperçoit un nommé Jacques Asselin qui tenait son enfant dans les bras et l'enfant avait le bras en écharpe. Monsieur Gingras dit: «Qu'est-ce qu'il a ton garçon, Jacques?» «Ah! il dit, il s'est cassé un bras et c'est pas drôle, il me fait perdre ma journée. Il faut que je monte à Sainte-Anne pour le faire guérir. Le docteur dit qu'il en a pour un mois à être comme ça». Le petit garçon pleurait. Le curé Gingras dit: «Penses-tu que sainte Anne est aussi bonne à Château-Richer qu'à Saint-Anne? Crois-tu cela?» Il dit: «Oui, monsieur le curé, je crois à ça». Il dit: «Tu crois à ça? Crois-tu que ton curé, en bénissant ton enfant, peut le guérir en invoquant la bonne sainte Anne?» Il dit: «Oui, monsieur le curé». Alors, le curé Gingras dit: «La bonne sainte Anne va guérir ton enfant.» Il bénit l'enfant. Il s'en va à l'autre bout de la concession et, quand il est revenu, l'enfant jouait et tout avait disparu. Mais c'était tout de même la foi. Le curé Gingras passait pour avoir fait beaucoup de miracles, de guérisons étonnantes à Château-Richer.

Emile Legault: Il y avait aussi le geste de boire de l'eau bénite qui faisait partie des rites.

Pierre Gravel: L'eau bénite et l'eau de Pâques. J'ai de mes anciens paroissiens de Boischatel qui sont allés, le matin de Pâques, à trois heures et demie du matin, à une source, chercher de l'eau de Pâques et en boire immédiatement.

Emile Legault: Est-ce qu'elle avait des vertus particulières?

Pierre Gravel: Ils disaient que ça les empêchait d'éprouver des malaises à l'intestin ou à l'estomac dans l'année, mais je ne le garantis pas.

Emile Legault: Une dernière question. Je ne veux pas verser dans l'apologétique, mais on a beaucoup parlé du curé d'autrefois comme d'un éteignoir, d'un empêcheur de danser en rond. Qu'est-ce que vous pensez du curé traditionnel?

Pierre Gravel: Je n'ai connu que de braves curés et des curés de valeur, moi. Les curés que j'ai connus de près étaient de grande valeur. Il y en a d'autres que j'aime autant ne pas connaître, vous savez.

Emile Legault: Vous les évitiez?

Pierre Gravel: Je m'arrangeais pour prendre la voie d'évitement.

Chapitre XI

Prières et humour populaires

Jean-Claude Dupont

Emile Legault: Voulez-vous, Jean-Claude, nous parler des prières populaires ? Est-ce que ces prières étaient improvisées par les gens ? Est-ce qu'elles étaient extraites d'un manuel de prières ? D'où venaient-elles ?

Jean-Claude Dupont: Généralement, c'était des textes transmis de bouche à oreille. On en retrouve de tous genres : certains appartiennent à de grands thèmes de l'histoire sainte, tandis que d'autres, relevant plutôt de l'humour populaire, sont du genre comique. Les spécialistes de la littérature orale diront que ces prières folkloriques appartiennent à la « littérature fixée ». Il y a, par exemple, des formulettes ou vire-langues que les grands-pères employaient pour « faire l'oreille » des enfants, pour leur apprendre à parler. Les « vieux » faisaient sauter les enfants sur leurs genoux et ils leur récitaient ou psalmodiaient des parodies de cantiques ou de prières latines, et ces formules populaires se fixaient dans la mémoire. En fait, un texte de « littérature fixée » est rythmé, dit ou chanté et il se retient mieux qu'un texte en prose. Il y a des « dires » que les informateurs relatent pour nous lorsqu'ils sont très âgés et qu'ils n'ont pas répétés depuis leur tendre enfance ; et pourtant, ils s'en souviennent. Certaines prières sont semi-savantes et peuvent aussi avoir été transmises par l'écrit.

Emile Legault: Et comment faites-vous vos cueillettes ?

Jean-Claude Dupont: Lorsque l'on fait des recherches ethnographiques, quel que soit le genre de la mission sur le terrain, on interroge les gens et on fixe les relevés sur pellicule sonore ou photographique. Même si la culture matérielle de la technologie traditionnelle constitue ma préoccupation première, je m'intéresse aussi au folklore en général, c'est-à-dire à la culture spirituelle.

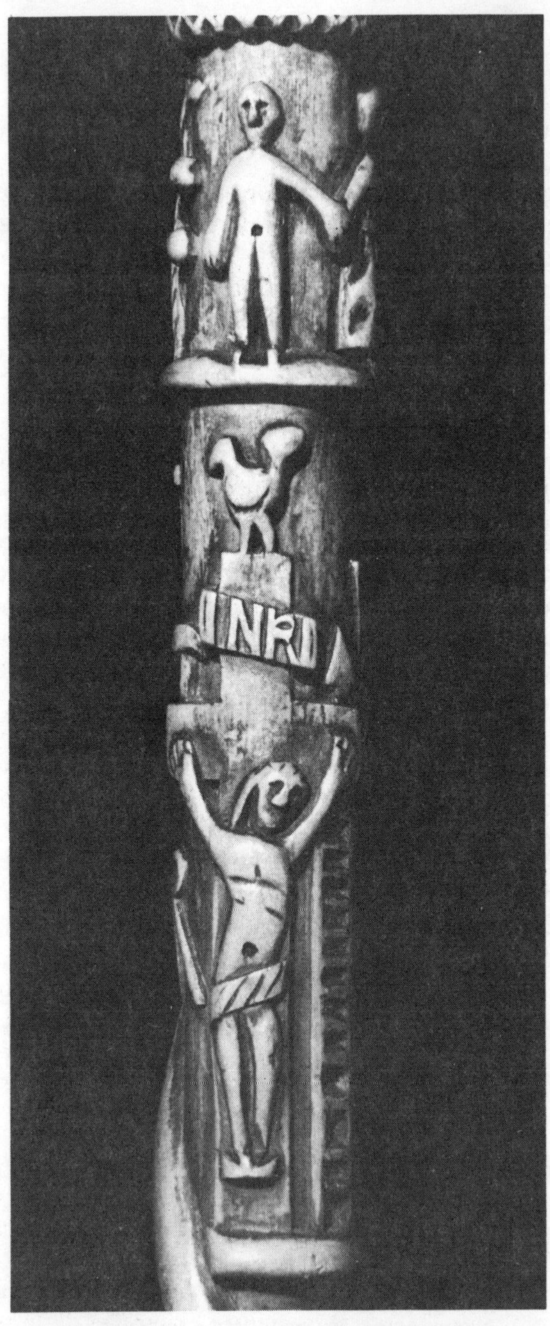

Ill. 104. Canne. XIXe siècle, Musée du Québec.

Si je fais parler des pêcheurs ou des « hommes de chantiers » ou des cultivateurs, en les interrogeant sur des procédés anciens de fabrication ou de cueillette, ou sur des formes d'art populaire, je ne peux dissocier la science populaire, les coutumes et les croyances. D'une chose à l'autre, on en arrive à parler de la mentalité religieuse et les informateurs ont tôt fait de se souvenir des prières folkloriques. Il faut naturellement mettre les gens en confiance ; s'ils chantent, je chante avec eux. Si je veux trouver une prière, j'oriente l'informateur vers ce sujet. Par exemple, si j'essaie de réciter une prière et que je le fasse de travers, l'informateur pourra dire : « Tu la sais pas la prière, c'est comme ça qu'on la dit ». Puis il me donne sa version.

Emile Legault: Bien, on a le procédé de la cueillette. Des échantillons maintenant ! Quels sont les thèmes principaux de ces prières-là ?

Jean-Claude Dupont : Il y a des prières qui sont dites avec accent tonique seulement, d'autres qui sont chantées. Ce dernier genre peut être illustré par des complaintes indulgenciées. Par exemple, on chante une chanson et les derniers vers mentionnent en finissant :

> Tous ceux qui chanteront cette chanson auront une indulgence

ou

> Seront sauvés à la fin de leurs jours.

En fait, ces prières relèvent beaucoup plus de la chanson, et ce sont généralement de vieux thèmes qui nous ramènent au moyen âge.

Voici l'exemple de *La bergère muette,* chantée en 1964 par monsieur Joseph Caron de Saint-Jean-de-la-Lande, Beauce, alors âgé de 86 ans. Ce dernier ajoutait que son père chantait cette complainte tous les vendredis matins (lorsqu'il allumait son poêle) pour gagner l'indulgence qui y était attachée.

La bergère muette

C'était une fille muette gardant ses moutons,
Un jour la bonne sainte Vierge lui a apparu,
Mais elle lui demande un bel agneau.
C'est pas à moi madame qu'il faut parler,
À mon père à ma mère faut demander.
Allez-vous-en bergère chère Isabeau
À votre père à votre mère demander ça.

Ah ! bonjour mon père et ma mère aussi,
Il y a une dame à mon troupeau,
Elle voudrait bien avoir un bel agneau.
Son père semblait surpris de l'entendre parler,
De voir leur fille muette si bien parler.
Allez, allez, bergère allez-vous-en chère Isabeau,
Faites choisir à la troupe un des plus beaux.

La bergère s'en retourne à son troupeau là-bas,
Elle s'en retourne à son troupeau.
Prenez, prenez madame un bel agneau,
Choississez dans la troupe un des plus beaux.
Au bout de deux ou trois jours bergère mourut,
Dans sa main une lettre jamais rompue,
A fallu que l'évêque y soit venu.

Ouvre ta main bergère chère Isabeau,
Ouvre ta main bergère chère Isabeau,
Ouvre ta main bergère chère Isabeau,
Demain tu retrouveras le grand Dieu Tout-Puissant,
Dans cette petite lettre il y a un écrit
Ceux qui la chanteront tous les vendredis,
Gagneront une indulgence du paradis [1].

Soixante-quatre versions de *La sainte Vierge aux cheveux pendants* ont déjà été relevées sur le terrain et sont conservées aux Archives de Folklore du Centre d'études sur la langue, les arts et les traditions populaires (CELAT) de l'université Laval de Québec.

La sainte Vierge aux cheveux pendants

La sainte Vierg' s'en va chantant
Avec ses beaux cheveux pendants.
Dans son chemin a rencontré
Un boulanger, lui a d'mandé :
« Beau boulanger, beau boulanger,
« Veux-tu donner du pain pour Dieu ?
Le boulanger en eut pitié,
Trois petits pains lui a donnés.

La sainte Vierg' s'en va chantant
Avec ses beaux cheveux pendants.
Dans son chemin a rencontré
Un forgeron lui a d'mandé :

(1) Collection Jean-Claude Dupont, doc. son. 62, *inf. cité*. Tous les documents originaux cités ici sont conservés aux Archives de Folklore du Centre d'études sur la langue, les arts et les traditions populaires (CELAT) de l'université Laval.

« Beau forgeron, beau forgeron,
« Veux-tu donner du fer pour Dieu?
Le forgeron n'en eut pas pitié,
Trois coups de pell' lui a donnés.

La sainte Vierg' s'en va pleurant
Avec ses beaux cheveux pendants.
Dans son chemin a rencontré
Un' petit' fill' lui a d'mandé:
« Belle petit' fill', belle petit' fill'
« Veux-tu donner du sang pour Dieu?
La petit' fill' en eut pitié,
Trois goutt's de sang lui a données.

La sainte Vierg' s'en va chantant
Avec ses beaux cheveux pendants.
Le boulanger sera sauvé,
Le forgeron sera damné,
La petit' fill' sera reçu'
Au pied du saint Enfant-Jésus[2].

Une autre complainte religieuse que l'on peut associer à une forme de prière, sans être indulgenciée cependant, est *La passion de Jésus-Christ*. Toujours présentée dans un langage simple, parfois naïf, mais empreint de grandeur, elle mêle sans gêne l'histoire sainte à des réalités populaires. Cette complainte est la contrepartie des pièces savantes du moyen âge, vieux mystères ou jeux de la Passion. En voici une version chantée en mars 1943 par madame Joseph Barrette de Jonquière, Saguenay.

1. La passion de Jésus-Christ est triste et désolante.
   Il a jeûné quarante jours sans prendr' de soutenance.
2. Mais au bout de quarante jours, il a pris soutenance.
3. Dans son chemin a rencontré un' grand' quantité d'anges.
4. « Ah! dis-moi, Pierre, ah! dis-moi, Jean, as-tu vu millier d'anges?
5. « Avant qu'il soit vendredi nuit, tu voiras mon corps pendre;
6. « Tu voiras ma têt' couronné' couronné', d'épin's blanches;
7. « Tu voiras ma tête penché' amoureusement vers le monde;
8. « Tu voiras mon côté percé par un grand coup de lance;
9. « Tu voiras mon sang recouler tout le long de mes membres;
10. « Tu voiras mon sang ramassé par quatre de ces anges;
11. « Tu voiras ma mère à mes pieds triste et fondant en larmes;
12. « Tu voiras la lune et l' soleil qui combattront ensemble;
13. « Tu voiras la terre trembler et les rochers se fendre;
14. « Tu voiras la mer monter et les collin's descendre[3].

(2) François-J. Brassard, « La Sainte Vierge aux cheveux pendants », *L'Alma Mater*, Chicoutimi, avril 1943, pp. 105-106.
(3) Ibid., « La passion de Jésus-Christ », *Le Réveil*, Jonquière, 28 mars 1956.

Ill. 105. Saint Benoît. Fonds Villeneuve, CELAT, Université Laval.

Ill. 106. Saint Christophe portant Jésus. Fonds Villeneuve, CELAT, Université Laval.

Ill. 107. Saint Isidore. Fonds Villeneuve, CELAT, Université Laval.

Ce sont là trois exemples de prières chantées auxquelles on pouvait prêter foi. D'autres prières « sérieuses », et ce sont les plus nombreuses, étaient dites.

En 1965, alors que j'enquêtais auprès de vieux forgerons, je leur demandais s'ils connaissaient leur saint protecteur. On mentionna, par ordre d'importance numérique:

Saint Éloi
Saint Benoit
Saint Christophe
Saint Isidore
Saint Sylvain
Notre-Dame-de-la-Protection, et le
Sacré-Cœur de Jésus.

Certains me dirent, alors que je leur demandais s'ils connaissaient des prières liées au métier, qu'ils n'en savaient pas, mais que leurs femmes cousaient des médailles dans leur costume de travail, ou encore, que pour se protéger, ils faisaient avec un couteau des petites croix sur le bout de leurs manches de hache, de masse, de marteau, etc. Mais une prière fut cependant mentionnée à plusieurs reprises; c'est *La prière à saint Jean*:

> Trois dames, trois vierges, passant par ces champs,
> Rencontrent-elles pas saint Jean.
> — Bonjour saint Jean, d'où viens-tu?
> — Je reviens de Jérusalem.
> — As-tu vu mon fils Jésus?
> — Dame oui, sanglant, languissant,
> — Les pieds pendants, les mains *colloućes* à l'arbre de la croix,
> — La couronne d'épines sur la tête, le côté percé.
>
> Tous ceux qui diront la prière soir et matin
> Ne verront pas le feu et les flammes de l'enfer[4].

Emile Legault: Bien, passons à d'autres prières, parlons des parodies, ça m'intéresserait!

Jean-Claude Dupont: Les prières parodiques, ce n'est pas toujours facile de les réciter en dehors de leur « milieu naturel », parce que certaines sont passablement rabelaisiennes: elles se rattachent à la « grasse littérature ». Les vêpres ou le *magnificat* populaire, contrefaçons souvent grotesques des vêpres ou du *magnificat* religieux, se chantaient assez vitement et rarement deux fois de suite:

---

(4) J.-C. Dupont, *Les traditions de l'artisan du fer*, Québec, univ. Laval, École des Gradués, thèse de Doctorat ès Lettres, 1974, 800 p. man. (p. 498).

Ill. 108. « Saint Jean l'évangéliste ». Fonds Villeneuve, CELAT, Université Laval.

on ne voulait pas « abuser » et non plus « montrer ça » aux plus jeunes.

Emile Legault : Était-ce dit sur un ton persifleur ?

Jean-Claude Dupont : Je ne crois pas que les récitants se moquaient des prières, mais peut-être un peu des prêtres, puisqu'ils s'efforçaient souvent de les prononcer d'une voix flûtée à la manière des prêtres que l'assistance pouvait parfois identifier. C'étaient surtout les airs de ces chants religieux qui permettaient d'identifier les cantiques parodiés. Ainsi, *La passion de Jésus-Christ* se transformait en *Le loup et la chèvre*. Jésus-Christ devenait la chèvre et Judas le loup :

La chèvre était sur la montagne,
Le loup était à ses pieds.
Le loup dit à la chèvre :
« Descends ici que je te baise les pieds.
La chèvre répondit :
« Non, tu vas me manger.
Le loup dit à la chèvre :
« Je ne mange pas de chair humaine le vendredi.
La chèvre fut si bête qu'elle descendit.
Le loup la prit par la babine,
Lui fit faire trois tours mortuaires.
Requiescant in pace[5].

Les psaumes Jean Royal David furent assez diffusés par nos chansonniers pour ne pas nous être inconnus, bien qu'on en retrouve plusieurs versions différentes. Voici celle de monsieur Adélard Parent de Saint-François-Xavier de Rivière-du-Loup, âgé de 63 ans en 1962 :

Quand te marieras-tu Jean Royal David ?
Quand te marieras-tu Jean mon ami ?

Je me marierai mon père pensez-y donc,
Je marierai pas un torchon comme y en a qui font,
Non, ni, non, non.

Comment l'habilleras-tu Jean Royal David ?
Comment l'habilleras-tu Jean mon ami ?

Je l'habillerai sur la belle soie mon père, pensez-y donc,
Je l'habillerai pas avec des vieux torchons comme y en a qui font,
Non, ni, non, non.

---

(5) Coll. J.-C. Dupont, doc. ms. 8921, M. Fortunat Vachon, 45 ans en 1973, Saint-Frédéric, Beauce, P.Q.

Comment la nourriras-tu Jean Royal David?
Comment la nourriras-tu Jean mon ami?

Je la nourrirai mon père au bon pain de Savoie, pensez-y donc,
Je la nourrirai pas aux petites patates à cochons comme y en a qui font,
Non, ni, non, non.

Comment la traiteras-tu Jean Royal David?
Comment la traiteras-tu Jean mon ami?

Je la traiterai aux petits oignons mon père pensez-y donc,
Je la traiterai pas avec un bâton comme y en a qui font,
Non, ni, non, non[6].

La messe des morts donna lieu elle aussi à de nombreuses parodies, du genre de la suivante:

La diarrhée qui est-ce qui l'a?
Testez David pour voir s'il l'a.
Des taures éreintées *da vibet*,
Le petit bœuf boite encore.
Magnificat a perdu son sac dans le tas de patates,
Ma tante Délie a passé, l'a ramassé.
Aporta in feri, apportez le fusil[7].

L'absoute des morts prend plusieurs formes dans la chanson populaire, puisqu'on dit aussi:

J'te pogne,
J'te fends en quatre,
J'te mets dans mon sac
Et puis j'te jette dans le lac[8].

En fait, il s'agit de chanter en français des textes comiques qui ont une consonnance semblable aux textes latins qu'on ne comprenait pas. On dira encore:

Ave Marie Stella,
La chatte a eu des chats.
Dei mater alma,
Elle en aura d'autres à mardi gras[9].

---

(6) Coll. J.-C. Dupont, doc. son. 39, *inf. cité*.
(7) Coll. J.-C. Dupont, doc. ms. 2559b, Alfred Pomerleau, 65 ans en 1968, Saint-Séverin de Beauce, P.Q.
(8) Coll. J.-C. Dupont, doc. ms. 2501b, Réjean Poirier, 19 ans en 1966, Caraquet, Gloucester, N.-B.
(9) Coll. J.-C. Dupont, doc. ms. 2483b, Irène Gallant, 20 ans en 1966, Grande-Digue, Kent, N.B.

Ill. 109. «Commandements de l'Église [5e et 6e]. *Catéchisme en images*, Paris, 1908, pl. 51.

L'*alleluia* quant à lui devient:

Alleluia, *alleluia*
Le carême s'en va.
On mangera plus de soupe aux pois
On va manger du bon lard gras[10]

Ce dernier extrait a été tiré d'une chanson de quête qu'entonnaient «les mardis gras» de porte à porte, alors qu'ils ramassaient des vivres pour faire une fête populaire.

Le même verset, chanté en 1962 par madame Ludger Pinet, alors âgée de 89 ans et demeurant à Saint-Antonin de Rivière-du-Loup, devenait:

Alleluia, *Alleluia*,
Le carême s'en va.
Tu mangeras plus de soupe aux pois
Mon crime de verrat[11].

En Acadie, d'où nous vient une dernière version, on dit aussi:

Alleluia, *Alleluia*,
Le carême s'en va
Il reviendra à mardi gras[12].

Les prières latines se sont prêtées à bien d'autres moqueries, telles celles des litanies qui sont sûrement parmi les plus «épicées».

Regina patriacharogne
Va ousque tu pourras aller.
Va au Saguenay
Va à La Malbaie[13].

Le *pater noster*, lui, se disait aussi de façons diverses; qui n'a pas entendu:

Pater noster,
Mes culottes à l'envers...

ou

Pater noster qui est en haut,
Inducas son camarade
Chantons donc tous ensemble
Sed liberanos à Saint-Malo[14].

---

(10) Chantée le 23 fév. 1977 par Marie Valois-Théberge de Saint-Étienne de Lévis, P.Q.
(11) Coll. J.-C. Dupont,, doc. ms. 6419, *inf. cité*.
(12) Coll. J.-C. Dupont, *Héritage d'Acadie*, Montréal, Leméac, 1977, 376 p. (p. 306).
(13) Coll. J.-C. Dupont, doc. ms. 8927, Vilmaire Dupont, 69 ans en 1970, Saint-Antonin de Rivière-du-Loup. P.Q.
(14) Coll. J.-C. Dupont, doc. ms. 8924, M. Fortunat Vachon, 45 ans en 1973, Saint-Frédéric de Beauce, P.Q.

Très souvent, les gens, lorsqu'ils allaient « veiller au corps » ou « veiller un mort sur les planches », s'amusaient follement ; c'était vers minuit, quand les gens de la maison s'étaient couchés, qu'arrivait le moment de s'amuser. Chez les Canadiens français du nord du Nouveau-Brunswick, un jour qu'un vieil Acadien, surnommé « la Belette », était mort, les veilleurs avaient chanté, cette nuit-là, la prière latine *Piet Jesus Domine*. Comme le mort était surnommé « la Blette », on chantait en chœur :

Piet Jesus Domine
C'est une « belette »
Jésus, cet homme-là[15].

Dans la région de la Mauricie, on raconte qu'une certaine vieille fille, nommée Alice, se rendait avec des paroissiens à la prière du soir à la croix du chemin pendant le mois de mai dit mois de Marie, et que des jeunesses qui y étaient changeaient l'*Ora pro nobis* pour « *Ora* pour Alice ».

Mais il n'y avait pas que les prières latines à se prêter à la parodie, il y a eu aussi des prières ou des cantiques religieux récités ou chantés en français qui ont donné lieu à des imitations ; ce sont alors surtout des strophes ou des couplets composés pour être chantés sur « l'air de... ». Le cantique *Dans cette étable* a donné, entre autres versions, celle de *Michaud dans sa cabane* :

Dans sa cabane que Michaud est content
Avec sa femme et ses petits enfants.
Le soir est arrivé Michaud s'est écrié :
Angélique, Angélique, viens-t-en donc
Pour souper les patates sont cuites.

Après souper les enfants faut coucher,
C'est t'y de valeur, ils s'en vont en pleurant.
Sont pas sitôt couchés les poux veulent les manger.
Ils crient, se lamentent
C'est t'y pas malheureux les poux nous mangent.

Michaud se lève, allume le feu
Fait chauffer la « bombe » pour les ébouillanter.
Comme il avait guère d'eau,
Échaude les plus gros
Les plus petits les laisse pour Angélique.

La nuit se passe assez passablement
Les enfants dorment tout tranquillement.
Quand ça vient au petit jour

(15) J.-C. Dupont, *Héritage d'Acadie*, p. 254.

Angélique à son tour, elle crie, se lamente:
C'est 'y pas malheureux les poux nous mangent.

Michaud se lève tout enragé:
La punaise du diable allez-vous nous lâcher.
Il est tout en furie il descend de son lit,
Descend de sa couchette,
A fait brûler son lit et sa femme avecque.

La chansonnette que je viens de vous chanter
N'est pas bien belle mais c'est la vérité.
Qui a fait la chanson, c'est un petit forgeron,
Assis dans sa boutique
Assis sur son croupion fumant sa pipe[16].

Il s'agit toujours de versions qui varient d'une région à l'autre. Par exemple, le texte de *Dans sa cabane*, chanté à Baie-Sainte-Anne, Northumberland, au Nouveau-Brunswick, où vivaient «Joe-Joe» marié à «Barlery», devient:

Dans sa cabane que Joe-Joe est content
Avec sa femme et ses petits enfants.
Le soir après souper, Joe-Joe dit à Barlery
Jésus, Marie, Joseph, les puces nous mangent[17].

Le cantique *Nouvelle Agréable* chez les Acadiens peut se chanter:

Nouvelle agréable,
Caché sous la table,
Y veut pas se laver, hé!
Et sa mère l'a tapé[18].

De même, les Acadiens chantent pour amuser les enfants:

O Saint-Esprit,
Venez chez nous,
Prenez une chaise,
Puis asseyez-vous[19].

Pour faire rire un enfant, une personne peut le faire asseoir sur sa cuisse et, en imitant le mouvement d'une bicyclette, chanter:

Saint Joseph en bicycle,
Tit-Jésus dans le panier,

(16) Coll. J.-C. Dupont, enr. son. 4, M. Saluste Bélanger, 65 ans en 1961, Saint-Antonin de Rivière-du-Loup, P.Q.
(17) Coll. J.-C. Dupont, doc. ms. 2575b, Monique Richard, 19 ans en 1967, Baie-Sainte-Anne, Northumberland, N.-B.
(18) Coll. J.-C. Dupont, doc. ms. 2492b, Irène Gallant, 20 ans en 1966, Grande-Digue, Kent, N.-B.
(19) J.-C. Dupont, *Héritage d'Acadie*, p. 87.

La sainte Vierge dit:
Va pas trop vite,
Tit-Jésus va tomber[20].

On parodiait aussi le chapelet en famille et l'invocation « Soyez mon amour, soyez mon salut» devenait « Soignez mon matou, soignez mon salut».

Le *benedicite* ou les grâces à l'heure des repas se disait:

J'ai pris un bon dîner,
Merci à mémère Gagné
Mais je l'avais bien gagné[21].

Ou encore:

Seigneur bénissez ce repas,
Faites que l'autre tarde pas,
Et qu'il soit meilleur que celui-là[22].

Le signe de croix, lui, pouvait se dire:

Au nom du Père, mon grand-père,
Et du Fils, mon oncle Baptiste,
Et du saint mon oncle Gustin,
L'Esprit ma tante Sylvie,
Ainsi soit-il, puis laisse-moi donc tranquille[23].

Emile Legault: Est-ce qu'on parodiait également le petit catéchisme?

Jean-Claude Dupont: Il y avait également des parodies du petit catéchisme. Un peu de tout en fait. Par exemple, les questions sur la création et sur le baptême se disaient:

Qui t'a créé et mis au monde?
Ma grand-mère avec ses grands ongles.

Qui t'a fait chrétien?
Mon grand-père avec ses grand's dins (grandes dents)[24].

Pour ce qui est du mariage, j'imagine qu'on a tous entendu un jour:

Qu'est-ce que le mariage?
Le mariage c'est un sacrement

---

(20) Coll. J.-C. Dupont, doc. ms. 8926, Lionel Lehoux, 43 ans en 1976, Lévis, P.Q.
(21) J.-C. Dupont, *Héritage d'Acadie*, p. 87.
(22) *Idem.*
(23) Coll. J.-C. Dupont, doc. ms. 8923, Alfred Pomerleau, 66 ans en 1970, Saint-Séverin de Beauce, P.Q.
(24) Coll. J.-C. Dupont, doc. ms. 2718d, M. Ludger Pinet, 75 ans en 1950, Saint-Antonin de Rivière-du-Loup, P.Q.

Qui rend l'homme semblable à la bête
Et souvent le fait mourir.

ou

Le mariage c'est un fou puis une folle
Embarqués dans la même casserole.

Emile Legault: Et ça circulait! Les gens savaient ça par cœur?

Jean-Claude Dupont: Oh! oui, par cœur, et parfois on ne se contentait pas de réciter, on actait. On pouvait ainsi faire des parodies complètes de sacrements, faire en fait du théâtre populaire. J'ai retrouvé, dans la Beauce, des mentions de ces « incidents», qui n'étaient autres que le baptême d'une chatte et le mariage simulé de deux personnes. Voici un texte rapporté par monsieur Alfred Pomerleau de Saint-Séverin:

> Il y avait des L. de la côte des Aulnaies qui avaient tous les vices; et un bon soir, ils ont baptisé une chatte, et un autre soir, ils ont baptisé un petit cochon. Ils avaient donné le nom de Marguerite à la chatte, et après qu'elle fut baptisée, elle ne miaulait plus, mais elle disait: «Marguerite, Marguerite...» Un autre soir, ils avaient marié un fou et une folle, et c'est allé jusque à l'évêque parce que le curé disait qu'ils se trouvaient mariés. Je te dis que l'évêque t'a arrêté tout ça, lui[25].

À propos de ces formes de théâtre populaire, pour bien réaliser comment pouvaient être répandus ces simulacres de sacrements, je décrirai cette fois comment pouvait se chanter un service funèbre dans une boutique de forge, à Saint-Odilon-de-Cranbourne, Dorchester:

> Le forgeron Lessard de Saint-Odilon-de-Cranbourne, qui était sans rival pour construire un beau cercueil, amusa bien son auditoire, un jour, tout en donnant une bonne leçon à un buveur du village; et on comprendra l'hilarité de ces gens en assistant à la scène suivante: Il y avait dans le village, un «frappe-à-bord» nommé Antoine qui «fêtait» plus souvent qu'à son tour; il était reconnu dans la place qu'après avoir bu, il «tombait dans les bleus», et brutalisait sa famille. Le père Lessard en profita donc pour amuser ses gens, lorsqu'en voyant arriver l'ivrogne à sa boutique, il leur dit: «Antoine est chaudaille, on va lui donner une leçon».
>
> Comme le forgeron ajustait un couvercle sur un cercueil, il essaya par mille et un artifices de convaincre Antoine de monter dans le

(25) J.-C. Dupont, *Le légendaire de la Beauce*, Québec, Garneau, 149 p. (p. 27).

cerceuil et de s'y coucher pour voir s'il était assez grand pour y coucher un mort bien à l'aise. Antoine fit d'abord quelques objections, mais comme on lui promit un «coup de fort» pour ce service, notre homme acquiesça et s'étendit de tout son long. Aussitôt allongé, le forgeron aidé de son monde s'empressa de clouer le couvercle de la bière pour y enfermer le mort vivant. On peut s'imaginer le spectacle, si l'on sait qu'Antoine ne fut libéré que le lendemain matin, et que, pendant toute une bonne partie de la nuit, il put, grâce à la vitre du couvercle, assister à un simulacre de service funéraire que lui organisèrent le forgeron et une cinquantaine de personnes du village[26].

Emile Legault: N'y avait-il pas aussi des prières pour guérir?

Jean-Claude Dupont: Ces prières s'emploient tantôt seules, tantôt associées à des formules ou gestes qui se veulent magiques. Il y a aussi ce qu'on appelle les «prières à secrets», qu'on n'accepte pas de dévoiler, puisqu'alors elles perdraient leur pouvoir de guérison. Voici quelques formules pour guérir. J'ai fait un choix, parce qu'il en existe plusieurs. Par exemple, pour guérir des coliques, on dit:

Colique je te conjure.
Allez la messe est dite.
Trois *pater*, trois *ave*[27].

Pour guérir du mal de dents:

Mal de dents je te conjure,
Comme Notre-Seigneur Jésus-Christ
A conjuré Satan dans les enfers.
Mal de dents je vais te guérir,
Mal de dents tu es guéri[28].

Pour guérir du mal de dents, il y a aussi *La prière à saint Martin* que l'enfant doit réciter par bribes à la suite du guérisseur; il s'agit ici d'un «attrappe-nigaud». Le guérisseur dit d'abord les deux premiers vers que reprend ensuite l'enfant:

Bon saint Martin,
Je suis plus capable de manger de pain.

L'enfant attend la suite et le plus souvent le grand-père dit à voix basse la dernière ligne:

Tu n'es plus capable de manger de pain,
Eh bien! mange de la «marde»![29].

---

(26) J.-C. Dupont, *Les traditions de l'artisan du fer*, pp. 535 et 537.
(27) M. Treflé Landry, 69 ans en 1963, Saint-Antonin de Rivière-du-Loup, P.Q.
(28) M. Isidore Deblois, 29 ans en 1963, Frampton, Dorchester, P.Q.
(29) J.-C. Dupont, *Héritage d'Acadie*, p. 86.

Mais il y en a aussi pour guérir du hocquet:

> J'ai le hocquet
> Dieu me l'a fait.
> *Dominus* je ne l'ai plus[30].

Pour « arrêter le sang », on récite la prière suivante:

> Sang furieux cesse ta fureur,
> Comme Judas a perdu sa couleur,
> En trahissant Notre-Seigneur.
> Un *pater*, un *ave*[31].

On dit aussi que cette prière peut servir à « arrêter le feu »; il s'agit alors de remplacer, dans le texte, le mot « sang » par le mot « feu ».

Emile Legault: Est-ce qu'il n'y avait pas aussi des invocations ou des formules pour se marier, pour obtenir un mari?

Jean-Claude Dupont: Je vais vous réciter les « litanies des vieilles filles » destinées à les aider à se trouver un bon mari:

> *Kyrie*, je voudrais
> *Christe* être mariée.
> *Kyrie* je prie tous les saints
> *Christe* que ce soit demain.
> Sainte Marie, tout le monde se marie;
> Saint Joseph, qu'est-ce que je vous ai fait?
> Saint Nicolas, ne m'oubliez pas.
> Saint Médéric que je me marie,
> Saint Barthélémy qu'il soit joli,
> Saint Mathieu qu'il craigne Dieu,
> Saint Bruno qu'il soit beau,
> Saint Casimir qu'il aime à rire,
> Saint Jean, je veux des enfants![32]

Emile Legault: J'ai déjà entendu dire qu'en Acadie, par exemple, il y avait une tradition particulière pratiquée par la fille qui voulait se marier; elle disait sa prière et ensuite elle allait se coucher avec un morceau de bois dans son lit.

Jean-Claude Dupont: Vous voulez parler des prières pour se préserver du célibat, comme si c'était un péché ou un accident. Je vais vous donner un exemple de ces formulettes:

(30) *Idem*.
(31) Coll. Guy Laperrière et André Lavoie, bobine 10, Mme Régina Lajeunesse, 93 ans en 1973, Coaticook, P.Q.
(32) J.-C. Dupont, *Héritage d'Acadie*, pp. 89-90.

Ill. 110. «St-Jean, Évangéliste». Fonds Villeneuve, CELAT, Université Laval.

Oh ! bon saint François,
C'est aujourd'hui la veille des rois.
En mettant le pied sur ce bois,
Je te prie de me faire voir
Cette nuit celui que je dois avoir pour mari[33].

La prière était généralement accompagnée d'un rituel ; il fallait que la jeune fille se rende à son lit en marchant à reculons et qu'elle ne parle plus à personne avant de s'endormir. Pour ce qui est du morceau de bois de chauffage, il était placé sous la taie d'oreiller. Si cette pièce de bois ne figure pas dans la pratique populaire, elle est remplacée par une galette salée et sans levain, qui est faite par la jeune fille et qu'elle consomme au moment de se coucher. Une coutume semblable, relevée dans la région de Sherbrooke, aurait sans doute orienté la vocation d'une jeune fille. Une informatrice relate que cette dernière, voulant connaître son futur mari, s'était couchée après avoir placé une petite échelle sous son oreiller dans le but de rêver pendant la nuit et de voir monter dans l'échelle celui qui serait son mari. Le rêve eut lieu et la jeune fille vit monter un cochon dans l'échelle. Deux mois plus tard elle décida d'entrer chez les religieuses[34].

Emile Legault : Y avait-il des prières pour se préserver d'accidents divers ?

Jean-Claude Dupont : Il y avait aussi des prières pour ne pas se perdre en mer, pour ne pas être tué à la guerre, pour ne pas « tomber dans un mal » (épilepsie), pour ne pas souffrir de disette, pour se préserver du tonnerre, de la mort subite, du mauvais mari, etc. Il y a, par exemple, *La complainte du Vanilia*. Ce sont des Acadiens qui se rendaient, vers la fin du XIXe siècle, en Guadeloupe. Ils sont tombés malades en cours de route. Cette vieille chanson du XIXe siècle est une longue prière, elle a 28 couplets ; je vous en donne quelques-uns :

Chantons les bontés de Marie
Envers notre misère
Lorsqu'en elle on se confie
Avec un cœur sincère.
Saluons cet astre divin,
Marchons à sa lumière ;
Elle nous tendra sa main
En la prenant pour mère.

(33) *Idem*, p. 281.
(34) Coll. J.-C. Dupont, doc. ms. 9162, Mme Imelda Lefèvre, 60 ans en 1976, Sherbrooke. P.Q.

Vierge sainte, divin canal
Par où coulent les grâces
Soyez toujours notre fanal;
Montrez-nous votre face.
Que toujours sur terre et sur mer
Votre main nous protège;
Nous ne craindrons plus l'enfer
Ni de la chair le piège[35].

Une autre complainte, toute religieuse, aurait été composée en 1862. C'est l'histoire de la mort en mer de Firmin Gallant, un jeune Acadien de l'Île-du-Prince-Édouard, noyé en allant lever ses filets. Cet incident donna naissance à une longue prière chantée, dont voici un extrait:

Oh! Vierge, sainte mère,
Daignez donc me secourir,
D'une aussi triste manière
Il faut donc que je meure.

Ange tutélaire,
Vous qui guidez mes pas,
Offrez à Dieu mes prières
Afin que je me perde pas[36].

Une autre prière, qu'on pourrait retrouver dans les fascicules et qui est destinée à se préserver des naufrages, est encore assez répandue; on la retrouve de temps en temps de nos jours:

Bonne mère des matelots
Que votre bonté nous garde
Par pitié sauvez-nous des flots
Notre-Dame-de-la-Garde
Par pitié sauvez-nous des flots[37].

Lorsqu'il fait tempête, mademoiselle Valéda Richard de Saint-Séverin de Beauce récite une prière fixée sur un cadre installé dans la «laiterie» de sa maison.

> Sainte Vierge Marie, je vous choisis aujourd'hui pour dame et maîtresse de cette maison, et je vous prie par votre Immaculée Conception de bien vouloir la préserver du feu, du vent, du tonnerre, des tempêtes, de l'eau et des voleurs; préservez-nous d'autres malheurs et accidents au nom et par les mérites de Notre-Seigneur Jésus-Christ. Ainsi soit-il[38].

(35) J.-C. Dupont, *Héritage d'Acadie*, pp. 40 à 45.
(36) *Idem*, p. 46 à 48.
(37) Anonyme, *La paroisse acadienne de Havre Saint-Pierre célèbre*, Saint-Justin, Imp. Gagné & Fils, 1957, 154 p. (p. 140).
(38) Coll. Paul Jacob, doc. ms. non classifié.

Ill. 111. Saint Christophe. Fonds Villeneuve, CELAT, Université Laval.

Elle a appris cette prière au couvent de Sainte-Marie de Beauce (Congrégation Notre-Dame) vers 1910. Il n'y a pas longtemps encore, c'était du choléra qu'on demandait à être protégé, dit-elle; puis on a remplacé le choléra par le feu.

Dans les prières dites pour se préserver des accidents de toutes sortes, l'humour n'est pas absent. Pour que leurs garçons ne se blessent pas dans les chantiers forestiers, les mères auraient récité le soir:

Mon Dieu faites attention
Pour ne pas que mon garçon se coupe,
Pour ne pas qu'il se fasse couper,
Et pour ne pas qu'il en coupe d'autres[39].

Il y a bien aussi cette mère qui, d'après la tradition orale, aurait dit à son garçon qui partait pour les chantiers forestiers: «Tu vas arriver le soir et puis tu vas te coucher tout rond; tu penseras même pas au bon Dieu, mais si tu disais seulement au bon Dieu en te couchant:

Mon Dieu, ton cochon se couche,

et en te levant:

Mon Dieu, ton cochon se lève[40].

(39) Coll. J.-C. Dupont, doc. ms. 6467, Mme Ludger Pinet née Euphémie Ouellet, 89 ans en 1962, Saint-Antonin de Rivière-du-Loup, P.Q.
(40) Coll. J.-C. Dupont, doc. ms. 6466, Mme Ludger Pinet...

Ou encore:

> Mon Dieu, ton bœuf se couche,
> Laisse-lui assez de corde
> Pour pas qu'il s'étouffe[41].

Dans la tradition orale des Îles-de-la-Madeleine (de même qu'à Terre-Neuve), il y a aussi des prières pour favoriser les naufrages. C'est la prière de la petite fille qui a peur que sa famille manque de nourriture et qui demande au ciel que des bateaux frappent les récifs et se brisent pour que les riverains en récupèrent les vivres. Des naufrages auraient donné leur nom à «l'année de la farine», «l'année du rhum», «l'année du bois carré», etc., toutes des années où des bateaux ont fait naufrage et permis ainsi que les habitants récupèrent du lard salé, de la vaisselle, du bois de construction, etc. On prétend même qu'il y a une église aux Îles-de-la-Madeleine (celle de l'Étang-du-Nord) qui aurait été construite avec du bois de charpente de navire brisé. Cette prière propre à favoriser les naufrages se dit comme suit:

> Mon Dieu, je serai bonne fille (ou garçon),
> Mais faites pour «poupa»,
> Qu'il y ait un naufrage
> Pas plus tard que demain matin[42].

Emile Legault: Elle était pratique la petite fille! Et des prières contre la foudre?

Jean-Claude Dupont: Le malheur des uns fait le bonheur des autres! Des prières contre le tonnerre, vous en connaissez probablement. En voici:

> Sainte Barbe, sainte Fleur,
> Par la passion de mon Sauveur
> Partout où le tonnerre ira,
> Sainte Barbe nous conduira[43]

ou

> Notre-Dame-des-Oliviers
> Protégez-nous du tonnerre,
> Protégez nos bâtisses[44].

---

(41) Coll. J.-C. Dupont, doc. ms. 9159, Mme X. Lacerte, 61 ans en 1976, Sherbrooke, P.Q.

(42) J.-C. Dupont, *Contribution à l'ethnographie des côtes de Terre-Neuve*, Québec, Centre d'Études Nordiques, univ. Laval, 1968, 165 p. (p. 58).

(43) Coll. Gemma Hébert, doc. ms. 1, Mme Hélène Broussard, 77 ans en 1976, Chéticamp, Inverness, N.-É.

(44) J.-C. Dupont, *Héritage d'Acadie*, p. 121.

Ill. 112. Sainte Barbe. Fonds Villeneuve, CELAT, Université Laval.

Mais il y avait aussi différentes pratiques pour se protéger du tonnerre. Par exemple, on mettait une image sainte, surtout la Sainte Face, dans une fenêtre, lorsqu'il tonnait. On lançait de l'eau bénite. On pouvait aussi mettre une hache, le taillant placé vis-à-vis d'une fenêtre; on prétendait alors que la hache «fendrait le tonnerre». Ou bien encore, on ouvrait le «rumeur» du poêle en pensant que le tonnerre passerait par là pour sortir dehors, s'il venait à tomber dans la maison. Généralement on disait l'invocation «Jésus, Marie, Joseph» à chaque coup de tonnerre. Certaines personnes récitaient l'*Angelus* trois fois de suite au début de l'orage.

Mais l'eau bénite associée à une prière ne sert pas qu'à protéger du tonnerre; on retrouve aussi les mêmes éléments pour se protéger de la mort subite:

> Eau bénite, je te prends,
> Si la mort me surprend,
> Tu me serviras de sacrements[45]

ou

> Eau bénite je te prends
> Sur mon corps et sur mon sang
> Si la mort me surprend
> Me serviras de sacrements[46].

Les gens complétaient leur prière par des gestes, comme celui de puiser de l'eau au bénitier placé à la tête de leur lit. En même temps qu'ils récitaient cette dernière prière, ils faisaient un signe de croix ou bien encore se signaient le front, la bouche et la poitrine.

De nos jours, en littérature orale, on ne récolte plus que des bribes; les pièces complètes sont plutôt rares, parfois il manque des éléments. La prière suivante a été diffusée par l'imprimé mais elle fut très populaire:

> Cette prière est aussi vraie que la circoncision de Jésus-Christ, aussi vraie que les trois rois sont allés adorer et ont apporté les offrandes à l'Enfant Seigneur, jour de l'Épiphanie, aussi vraie que Notre Père est mort sur la croix. Ceux qui auront cette prière dans leur maison n'auront pas besoin d'avoir peur du tonnerre et des éclairs. Ceux qui la réciteront ou l'entendront lire seront avertis trois jours avant leur mort. Cette prière a été écrite en l'honneur de Notre-Seigneur Jésus-Christ espérant qu'elle éloignera du malheur et que le Saint-Esprit

---

(45) Coll. J.-C. Dupont, doc. ms. 8919, Mme Alfred Pomerleau née Albertine Vachon, 53 ans en 1963, Saint-Séverin de Beauce, P.Q.
(46) Coll. Livain McLaughlin, doc. ms. 5, son père Livain, ca 58 ans en 1973, Nashwaaksis, York, N.-B.

nous préservera de tout danger et nous conduira au bonheur. Jésus, Marie, Joseph, priez pour nous. Ceux qui réciteront cette prière ou qui l'entendront dire ou qui la porteront sur eux ne seront jamais tués à la guerre. Si vous voyez une personne «tomber dans un mal» (épilepsie), mettez cette prière sur son côté droit et elle se lèvera et vous remerciera[47].

On faisait bénir les grains à la saint Marc et le père, en lançant la première poignée sur le sol (souvent il le faisait faire par un enfant qui n'avait pas douze ans, supposément parce qu'il était plus pur), faisait un signe de croix avec son grain et disait:

Oh! mon Dieu, faites que ma moisson
Soit aussi bonne que la vôtre[48],

ou encore tout simplement:

Bénissez la «sumence à poupa».

Autrefois, on croyait que cultiver la terre était la volonté de Dieu et qu'on s'y sanctifiait plus facilement; la prière de saint Isidore rappelle ce trait de la pensée populaire:

Saint Isidore et sainte Marie,
Souvenez-vous que vous vous êtes
Sanctifiés dans la vie champêtre;
Daignez nous sanctifier nous-mêmes,
Afin que nos enfants grandissent dans l'innocence,
Que nos moissons soient en abondance,
Suppliez enfin que nous imitions vos vertus
Et faites qu'un jour nous soyons tous unis dans le ciel.
Ainsi soit-il[49].

Emile Legault: Est-ce qu'il y avait des prières pour sceller un serment?

Jean-Claude Dupont: Il y avait des formules du genre serment. Ce sont surtout les enfants qui les récitaient mais parfois aussi les maris, lorsqu'une femme faisait une bonne colère à son homme qui avait bu ou bien qui était allé voir la femme du voisin. L'homme, debout, face au crucifix fixé au mur, mettait une main sur la croix et jurait qu'il ne recommencerait plus. Souvent les formules qu'il employait étaient semblables à celles qu'utilisaient les enfants pour s'amuser entre eux. Par exemple, en faisant le signe de croix et en mettant une main sur le crucifix et l'autre sur le cœur, le mari disait:

(47) J.-C. Dupont, *Héritage d'Acadie*, p. 123.
(48) *Idem*, p. 511.
(49) Guy Courteau et François Lanoue, *Une nouvelle Acadie Saint-Jacques de l'Achigan*, Montréal, Imp. populaire Ltée, 1947, 398 p. (p. 255).

Ill. 113. Saint Isidore, le laboureur. Fonds Villeneuve, CELAT, Université Laval.

La croix sur mon âme

ou

Ma grande foi de Dieu

ou simplement :

Serment damné

ou

Serment, je serai damné
Croix de bois, croix de fer

et les enfants ajoutaient :

J'ai juré, j'ai craché[50].

Emile Legault : N'arrivait-il pas que des objets remplacent les prières en certaines occasions ?

Jean-Claude Dupont : Les marins plaçaient des chandelles bénites dans leurs bateaux ou ils cachaient une médaille dans la coque du navire, surtout lors de la construction. On en plaçait aussi entre les pièces de bois posées sur le solage d'une maison.

Emile Legault : Une autre forme de moquerie religieuse n'était-elle pas celle des sermons du curé ?

Jean-Claude Dupont : On recueille des sermons lors d'enquêtes sur le terrain. On dira, par exemple, qu'un curé fit un jour le sermon suivant :

Lundi, mardi, fêtes.
Mercredi, je pourrai pas y être,
Jeudi, la saint Nicolas,
Vendredi, j'y serai pas
Samedi, la relevée (l'après-midi)
La semaine est avancée
J'ai pas encore commencé[51].

Mais on parle plus souvent des sermons que firent des bedeaux qui durent remplacer le curé à pied levé.

Les femmes prendront le derrière des hommes pour la procession...[52]

---

(50) Formules très répandues au Québec et en Acadie.
(51) Coll. J.-C. Dupont, doc. ms. 2758b, Adrien Nadeau, 55 ans en 1968, Saint-Frédéric de Beauce, P.Q.
(52) Coll. J.-C. Dupont, doc. ms. 8928, Roger Castonguay, 58 ans en 1974, Saint-Modeste, Témiscouata, P.Q.

Lorsqu'on est réuni en veillée d'amis, il arrive qu'une personne, connaissant tous les incidents qu'ont subis ses voisins pendant l'année, se lève debout pour faire le prône du dimanche et les taquiner :

> Lundi, messe du Saint-Esprit
> Pour la vache à Carmin qui a eu un veau
> Et qui s'est cassé une patte.
> Mardi, messe des Saints-Anges,
> Pour ne pas que la vache à Alcide vèle debout
> Et que son veau s'assomme dans le dallot à fumier.
> Mercredi messe des morts
> Pour la jument à Arthur
> Qui a tout mangé le foin de la « mollière »
> Et qui est morte au printemps[53].

En fait, ce dernier récit est un motif tiré d'un conte folklorique répandu dans plusieurs pays (c'est le conte-type 1824 de la classification internationale des contes de Aarne-Thomptson, *The Types of the Folktale*). Ce n'est pas là une exception, puisqu'il y a d'autres exemples de récits folkloriques canadiens-français qui font état d'incidents attribués à des curés et qui ne sont en somme que des extraits (ou parfois des textes complets) de contes qui se retrouvent dans la plupart des pays. Le conte suivant, relaté par monsieur Alfred Pomerleau de Saint-Séverin de Beauce, en est un autre exemple :

> Une fois, c'était un curé qui faisait toujours ses sermons trop longs, et les paroissiens se demandaient bien comment faire pour les lui faire raccourcir. Un bon samedi, il y a un gars qui est allé cacher un nid de guêpes dans la chaire du curé.
> Quand arrive le dimanche le curé s'installe, puis il frappait sur le bord de la chaire pour faire peur au monde. À un moment donné, voilà les guêpes qui commencent à entrer sous sa soutane et qui se mettent à le piquer. Le curé n'en pouvait plus, il dit :
> « Mes biens chers frères, c'est moi qui vous le dit, parole de Dieu dans la bouche, puis le diable au derrière, ça marche pas ensemble ![54]

Les contes à rire ou les fabliaux de la littérature orale relatifs au curé ne s'arrêtent pas là, et nous serions bien prude de ne pas rapporter au moins un conte de curé *maquereau*. J'ai choisi un des moins scabreux, retrouvé sur le terrain, bien que dans les soirées ces contes étaient racontés sans une once de gêne. Au contraire, le fait de n'en point parler pourrait laisser croire à leur inexistence.

---

(53) Coll. J.-C. Dupont, doc. ms. 2757b, Rose-Marie Fillion, 24 ans en 1965, Scott-Jonction, Dorchester, P.Q.
(54) Coll. J.-C. Dupont, doc. ms. 2756b, *inf. cité*.

C'est très souvent la servante du curé qu'on retrouve dans ces facéties, mais ici c'est la femme d'un forgeron cocu :

> Une fois c'était un forgeron qui avait installé sa boutique dans le bas de sa maison, et puis sa femme demeurait en haut. Sa femme disait au monde qu'il était jaloux. Toujours que le forgeron se doutait que sa femme recevait des maquereaux. Il avait fait percer une trappe dans le plafond et ça s'ouvrait à côté du lit où il couchait avec sa femme. Il avait seulement à tirer sur une corde, puis la trappe descendait.
> Un bon jour, il arrête de frapper sur son enclume, puis il entend bordasser dans la chambre en haut. Il se dit : « Tiens, si c'est un maudit maquereau, je vais toujours bien le faire plonger en bas ». Toujours qu'il hale sur la corde ; la trappe bascule, puis, qu'est-ce qui tombe debout tout nu en avant du feu de forge ? Le curé. Puis là, le curé dit : « Pourrais-tu pas me forger une barre de fer de cette grosseur-là ? »[55]

Pour terminer, mentionnons une seule formulette, celle-là récitée par les enfants qui n'y ont jamais rien vu de « grossier » :

> C'est la servante qui lave son plat
> C'est le curé qui mange dedans
> Et puis l'évêque à tous les quatre ans[56].

---

(55) M. Eugène Chabot, 50 ans en 1963, Saint-Philémon de Bellechasse, P.Q.
(56) Coll. J.-C. Dupont, doc. ms. 2713d, M. Ludger Pinet, 75 ans en 1950, Saint-Antonin de Rivière-du-Loup, P.Q.

Cinquième partie

Retour au moyen âge

Chapitre XII

Les frères mendiants

Jean-Claude Filteau et Gérard Gagnon

Emile Legault: Nous allons parler du quêteur qui incarne une vieille tradition du pays. Pour ce faire, nous allons rencontrer le Frère Gérard Gagnon et M. Jean-Claude Filteau, diacre marié et vicaire. M. Filteau, vous êtes un drôle de phénomène vous, n'est-ce-pas?

Jean-Claude Filteau: J'ai eu la chance de vivre pendant six ans dans la communauté des religieux Saint-Vincent-de-Paul. J'avais tout d'abord vécu de leurs œuvres, en particulier de leur camp de vacances au lac Simon où j'étais moniteur. Puis je suis entré au noviciat où j'ai fait un an et ensuite quatre ans au scolasticat avec le Frère Gagnon. À ce moment-là, j'ai eu l'occasion de vivre un peu l'expérience avec des quêteurs, parce que la communauté des religieux de Saint-Vincent-de-Paul a donné un grand témoignage de pauvreté. C'étaient des gens qui s'occupaient des jeunes sans recevoir de subventions gouvernementales. C'étaient des gens qui, simplement par charité, par du bénévolat, s'occupaient des jeunes des milieux ouvriers, relativement pauvres à l'époque. Ils ont vraiment vécu la vie des gens de ce milieu. Leur condition de vie était celle des gens qui les entouraient. Je crois que ç'a toujours été une communauté qui a eu un grand impact à Québec. Ce sont des gens qui, pour entretenir leurs œuvres ou pour eux-mêmes, ont eu besoin de vivre de cette charité immédiate des gens. D'ailleurs, lorsqu'on voit le cas du Père Bernier et du Patronage Rocamadour, qui a été bâti sur la charité des gens, et qu'on sait par exemple qu'une partie des revenus du tournoi Pee-Wee sera investie là-dedans, on comprend que le Père Bernier ait réussi à éveiller chez les gens un sens de la responsabilité. Il leur a appris à faire une charité intelligente et apostolique. Au noviciat, on était une trentaine à vivre directement de la charité. Le Frère Boulet partait tous les jours avec la camionnette qu'on nous avait donnée et il faisait le tour des garages. Je me souviens par exemple d'être allé, le jour de la paye des ouvriers, aux chantiers maritimes de Lauzon; on était sept ou huit comme ça, en soutane, avec un petit sac pour recueillir les oboles des gens. Mais ce qu'on aimait beaucoup, c'était peut-être du sport à ce moment-là, c'était d'aller quêter à l'Île d'Orléans. J'ai dû faire trois fois le tour de l'Île d'Orléans à pieds, en arrêtant à toutes les maisons où les gens nous donnaient des produits en nature. On revenait au camion avec les poches de patates sur le dos, des légumes et les fameuses citrouilles.

Emile Legault: Et après six ans chez les Saint-Vincent-de-Paul, vous passez au grand séminaire de Québec comme professeur.

Jean-Claude Filteau: Comme professeur d'écriture sainte. Je m'intéresse surtout à l'histoire d'Israël et à l'archéologie, mais comme ce n'est pas toujours facile d'aller faire des fouilles en Israël, je m'intéresse beaucoup à la religion populaire ici. C'est une partie de notre héritage, la façon concrète dont l'idéal évangélique a été vécu par les gens. Je trouve même qu'il y a des relations à établir avec l'Israël d'autrefois: Israël a vécu une expérience et nos ancêtres ont vécu aussi. Je pense que l'histoire de nos ancêtres, c'est aussi celle de notre salut.

Emile Legault: Frère Gagnon, comment êtes-vous reçu en général? Vous avez vingt-cinq ans d'expérience. Êtes-vous rebuté de vos quêtes? Les gens vous accueillent-ils bien?

Gérard Gagnon: Très bien. J'en suis surpris d'une fois à l'autre. On voit alors que la foi est plus forte que nous dans un climat où l'obligation de quêter joue. Elle est comprise et il y a une valeur d'échange. On est conscient d'apporter aux gens une valeur de foi, d'éternité, qui nous fait accepter avec joie non seulement la volonté du Seigneur, mais tout ce que ça peut apporter, et le pour et le contre.

Emile Legault: Racontez-moi donc cette expérience toute récente dans une maison d'affaires importante de Québec.

Gérard Gagnon: En effet, c'est arrivé tout récemment lorsque je faisais la tournée d'une maison d'affaires de Québec que je visite depuis 25 ans, tous les mercredis. Comme toujours en pareil cas, je m'amène avec un crucifix lumineux qui a été béni pour lui donner non seulement un sens, mais l'efficacité que le Seigneur se charge lui-même de lui donner. Alors les gens — ils étaient certainement une douzaine — ont pris le crucifix et l'ont placé au-dessus de la porte en disant: « il nous manquait ».

Emile Legault: Ça ne se serait peut-être pas fait il y a une dizaine d'années, car il y avait une sorte de refroidissement, de fausse pudeur peut-être, qui aurait empêché les gens de poser un tel geste, mais aujourd'hui c'est un peu normal.

Gérard Gagnon: Je dirais, Père Legault, que les gens n'ont pas changé. Ils sont toujours affamés, assoiffés d'essentiel, mais c'est la mentalité qui a évolué, qui a changé. Je crois qu'on est dans un siècle où on est, tous, affectés par cette évolution. Mais les gens, en posant leur question, attendent une réponse. Mais cette réponse c'est pas nous qui la donnons, parce que le bien c'est pas nous qui le faisons: le Seigneur se sert de nous pour faire ce bien qui se réalise.

Emile Legault: Frère Gagnon, est-ce qu'on naît naturellement quêteur?

Gérard Gagnon: Non. Après vingt-cinq ans c'est toujours nouveau. Chaque mercredi, car c'est la journée spéciale de la quête en nature, il faut se suggestionner. Je dois penser que je ne vais pas simplement solliciter, mais échanger et partager avec eux et que c'est un moyen qui va nous rapprocher du Seigneur.

Jean-Claude Filteau: J'ai même un souvenir assez personnel du Frère Boulet qui, avant de partir du noviciat, mettait la main sur le pied de la statue de saint Joseph. Le Frère Gagnon aussi d'ailleurs. Je l'ai vu, avant de partir le mercredi matin, s'arrêter devant la statue de saint Joseph pour y déposer des petits papiers en-dessous. Je sais que le Frère Gagnon, comme le Frère Boulet, avait une dévotion à saint Joseph. Il était pour eux, je pense, le patron des pourvoyeurs.

Gérard Gagnon: Le pourvoyeur de la Sainte Famille a été saint Joseph et notre but, au scolasticat, c'était d'assurer la relève de la communauté et en même temps d'être au service de l'Église. On savait bien que le prêtre, qui est un représentant du Seigneur, a-vait besoin d'un pourvoyeur. Si, dans le domaine de l'éducation, la sainte Vierge avait un rôle de première importance, c'est saint Joseph qui assurait le complément matériel. Dans une communauté il faut donc des hommes pour prendre un peu son esprit et sa responsabilité.

Emile Legault: Vous m'êtes arrivé tout à l'heure avec une parole extraite de la messe de ce matin et qui vous servait de viatique pour la journée: «Faites, Seigneur, faites-nous déployer aux yeux du monde la vitalité du Christ». Je pense que c'est une parole qui vous inspire.

Gérard Gagnon: C'est la seule vérité qui peut justifier ce qui s'appelle charité et, entre parenthèses, quêteur. Elle est incarnée dans la charité, autrement c'est une farce et je ne voudrais pas la faire.

Ill. 114a. Le travail de saint Joseph. Fonds Villeneuve, CELAT, Université Laval.

Ill. 114b. « St-Joseph, père nourricier de Jésus... » Fonds Villeneuve, CELAT, Université Laval.

Ill. 115. Quête dans une taverne. Québec, mars 1949.

Emile Legault: Dites-moi donc comment s'est établi votre premier réseau de bienfaiteurs ?

Gérard Gagnon: La première chose indispensable qu'il fallait trouver, c'était la nourriture. Il fallait « vivre avant de parler de bien vivre » comme disait saint Vincent de Paul. Nous sommes donc allés, le Père Lussier et moi, chez des fournisseurs qui ont compris par eux-mêmes que le geste que nous faisions en était un de partage. Ils nous ont indiqué d'autres fournisseurs et ainsi, depuis vingt-cinq ans, ils nous ont toujours assuré cette nourriture dont on n'a jamais manqué et qu'on a toujours essayé de partager avec les pauvres.

Emile Legault: Vous êtes allé au marché ?

Gérard Gagnon: On est allé au marché et chaque fois qu'on en revenait, le samedi, on peut dire en toute sincérité que la camionnette était remplie et que parfois même elle était trop petite. Les cultivateurs sont des gens qui ont la foi ; ils vivent avec l'influence du Créateur.

Emile Legault: M. Filteau, est-ce qu'on peut dire que la charité comme ça, les échanges, les corvées, c'est inscrit dans notre tradition ?

Ill. 116. Le Frère Sauvageau en tournée de quête. Québec, mars 1949.

Jean-Claude Filteau : Oui. D'ailleurs on le voit au sein des paroisses. Dans nos archives, à Saint-Jean-Chrysostome, on retrouve des mentions de corvées. Quelqu'un passait au feu, la maison ou la grange brûlait, le dimanche suivant on demandait de faire la corvée. Bien souvent c'était la seule occasion pour les gens de travailler le dimanche. Quant aux quêteux qui circulaient d'une place à l'autre, ce n'étaient pas des religieux, mais il y avait une tradition d'accueil. Il y avait le banc des quêteux et les gens s'inquiétaient si le quêteux ne venait pas. C'était d'ailleurs lui qui transportait les nouvelles d'un endroit à l'autre. Pour les gens c'était vraiment une façon d'accueillir le Seigneur. Il y avait un élément folklorique, populaire, là-dedans. C'était presque un besoin inscrit dans une espèce de tradition humaine, une tradition d'accueil. Comme le disait le Frère Gagnon tout à l'heure, c'était peut-être plus manifeste encore à la campagne où les gens sont plus près du rythme naturel, plus près aussi, je pense, de la Providence. Les gens qui vivent à ce rythme-là sont peut-être plus sensibles que nous autres, les gens de la ville, à cette espèce de gratuité et de merveille de la vie qui réapparaît.

Emile Legault: Ils se sentent tributaires du soleil, de la pluie...

Jean-Claude Filteau: ...et, qu'on le veuille ou non, cela est lié de très près à la religion.

Emile Legault: L'an passé ou il y a deux ans, on me disait que dans un village pas très loin de Nicolet, une grange avait brûlé et que presque tous les animaux avaient péri. Il y a eu une corvée spontanée; ils ont remis la grange sur pied et ils ont fourni l'argent pour renouveler le troupeau.

Jean-Claude Filteau: La tradition n'est pas si loin. Bien des fois, dans plusieurs paroisses, on pourrait y faire appel ou la faire naître spontanément, parce qu'elle est encore dans les mœurs. C'est la solidarité d'une communauté. Dans ma paroisse, je remarque que ça se fait très souvent à l'occasion de décès; chaque fois que quelqu'un meurt, je suis surpris de voir l'église pleine. Il y a une communauté humaine qui est encore forte, où les gens sont solidaires des joies et des peines. Je me dis qu'il reste quelque chose de profondément chrétien d'une communauté qui avait des liens entre ses membres.

Gérard Gagnon: Je pense qu'on ne demande pas suffisamment à nos gens. Du bénévolat, il s'en trouve. Je pense, par exemple, à nos grandes maisons où il y a place pour des activités nouvelles qu'on peut réaliser aujourd'hui, mais qui étaient impossibles dans le temps. Chez nous, on accueille régulièrement l'Âge d'Or de la paroisse deux fois par semaine. Tout est bénévole, mais l'accueil, l'esprit, le partage, la joie communicative qu'ils ont, est visible. C'est du bénévolat, ce sont des gens convaincus.

Emile Legault: Je vais arriver aux chiffres. Ça fait vingt-cinq ans que vous êtes administrateur du scolasticat et j'aimerais savoir combien vous avez dû débourser, de votre propre initiative, pour la nourriture?

Gérard Gagnon: Je peux vous dire en toute honnêteté, pour ce qui est de la nourriture, que, depuis vingt-cinq ans, si on a payé $400.00 pour la viande et $50.00 pour le pain et les gâteaux, c'est le maximum. Non seulement personne n'a jamais été privé, mais nous avons pu faire en moyenne quarante à soixante distributions de nourriture par semaine à des familles défavorisées.

Emile Legault: Avec votre imagination, vous avez dû penser à vous recruter des collaborateurs ?

Gérard Gagnon: Comme je vous le disais tout à l'heure, pour ce qui est des besoins en nature, ce sont nos bienfaiteurs eux-mêmes qui ont fait le cercle et qui l'ont agrandi. Quant aux zélatrices, elles ramassaient vingt-cinq sous par mois chez des personnes qui s'étaient engagées à verser ce montant. Leur objectif était l'œuvre sacerdotale. Les personnes, là, qui sont affiliées à la communauté, sont invitées, lors des ordinations, à participer à une œuvre d'église en même temps que de communauté.

Emile Legault: Vous disiez tout à l'heure que, quand vous entriez chez quelqu'un, vous lui apportiez un cadeau, c'est-à-dire une espérance, une ouverture sur l'infini. Mais avez-vous un cas concret de faveurs reçues temporellement à la suite précisément d'une collaboration avec votre œuvre ? Il n'y a pas le cas d'une famille Blouin de Saint-Jean de l'Île d'Orléans ?

Gérard Gagnon: C'est vrai, ça s'est produit. C'était un ménage très uni et leur épreuve était de ne pas avoir d'enfant. Alors, à chaque endroit où l'on passait, on remettait des médailles, des objets bénits ou la neuvaine à saint Vincent de Paul. On leur avait conseillé de faire cette neuvaine ensemble, l'homme et la femme, et de demander au Seigneur, par saint Vincent de Paul, de réaliser leur désir bien légitime. Je me rappelle par la suite y être allé tous les ans et avoir vu six enfants autour d'une table que les parents avaient la plus grande fierté de voir si bien entourée. Et je n'ai pas su qu'ils aient dit leur dernier mot à ce moment-là.

Emile Legault: Il faudrait faire intervenir saint Vincent de Paul dans notre crise de natalité actuelle.

Gérard Gagnon: Il est encore à l'honneur si on veut lui faire confiance. Comme on ne sera jugé que sur la charité, je ne vois pas pourquoi le moyen ne serait pas en rapport avec la fin.

Emile Legault: Avez-vous déjà été l'objet de refus ou de moquerie ?

Gérard Gagnon: Je n'en ai pas vraiment un souvenir direct. Il y a eu souvent des accrochages qui ont été réglés par les gens d'à côté, par les voisins. Je n'avais pas de défense à faire et je sais bien que tout le monde n'est pas obligé non plus de penser de la même façon.

Emile Legault: Est-ce qu'il y avait des gens aussi qui pouvaient donner de mauvais cœur et à qui vous aviez dû faire comprendre la portée de leur geste?

Gérard Gagnon: Une fois, franchement, ça m'est arrivé. On était chacun du côté d'une table, le patron d'une grosse entreprise de Québec et moi qui sollicitais, encore une fois, pour un besoin, une réalité. Rien ne nous est dû; c'est au nom du Seigneur qu'on demande et ce n'est jamais un ordre. Aussi, je n'ai jamais été offusqué quand je n'ai rien reçu ou que l'on m'a pratiquement refusé. Mais, là, le monsieur me faisait sentir que je l'offensais en lui demandant cette charité. Alors, j'ai dit: «Écoutez, mon ami, je m'excuse et si vous voulez, pendant un instant on va changer les rôles. Vous allez venir à ma place. Je vais prendre la vôtre et vous allez vous demander si, vraiment, vous feriez ce que je fais pendant très longtemps.» Cet homme-là s'est contenté de me sourire et il m'a dit: «Je crois que vous avez raison». Ce n'est pas moi qui avais raison, mais le Seigneur qui s'était encore servi d'un exemple qui se présentait. Mais les gens ont encore en eux une recherche, une soif de vérité.

Emile Legault: Il me semble qu'il y a encore beaucoup de foi, mais on a été habitué à une foi très dirigée par un catéchisme littéral et, aujourd'hui, il y a peut-être des réticences vis-à-vis de ce qu'on appelle l'institution, l'«establishment». La difficulté ne viendrait-elle pas de là?

Jean-Claude Filteau: À un moment donné, je pense qu'on a peut-être trop dit que les communautés s'étaient enrichies aux dépens des gens. Mais, selon moi, c'est foncièrement faux. Quand on y regarde de près, on s'aperçoit au fond du grand dévouement et de la gratuité qu'il y a eu là. Les circonstances ont changé bien des choses; les maisons religieuses, qui étaient installées dans les banlieues, se sont retrouvées, à cause de l'accroissement des villes, avec des fortunes en terrain. Il s'agit alors pour elles de réinvestir cet argent-là dans leur œuvre et pour faire la charité.

Emile Legault: Je ne voudrais pas faire de mauvaise apologétique, mais il est certain que les communautés, se groupant et mettant tout en commun, ont obtenu de grands résultats. Je pense aux trappistes par exemple, qui ont pris une terre relativement sauvage, qui en ont fait un coin extraordinaire pour la culture et qui ont contribué au développement de leur région par la fabrication du fromage, la culture des pommes, l'élevage des volailles et des bestiaux. Ce sont des choses qui, à première vue, apparaissent comme un peu scandaleuses, car ils se sont enrichis. Mais ils ne se sont pas enrichis personnellement, c'est la communauté comme telle qui a accumulé des recettes.

Gérard Gagnon: Il me semble qu'il y a un témoignage que je dois apporter, c'est celui de la préparation de nos étudiants. Lorsque nos scolastiques avaient leurs deux années de philosophie à faire au séminaire, tout en vivant au scolasticat, le petit et le grand séminaire ont toujours reçu nos élèves gratuitement. Lorsque l'administration est devenue différente, il a fallu faire comme tout le monde et c'est normal, mais je crois que l'on se doit de rendre hommage à ces institutions qui ont su partager. Il y a un fait aussi dans le domaine des quêtes en nature que j'aimerais raconter. Une personne de Sainte-Foy vient à la maison et me dit: « En nature, est-ce qu'il y a quelque chose qui vous manque ? » J'ai dit: « Prenez la question du beurre, c'est une chose qu'il faut acheter ». Elle a donc formé ce qu'on appelle un cercle des dames de Saint-Vincent qui se sont chargées de récolter, à tous les mois, ces produits en nature. Elles ne voulaient pas l'avoir en argent. Elles ont aussi ajouté à leur actif des réceptions et des après-midi récréatifs pour aider l'œuvre.

Jean-Claude Filteau: Comme souvenir personnel, je peux dire que dans un scolasticat où notre formation était assurée par des professeurs et des supérieurs, le rôle du quêteur aussi était très important.

Emile Legault: Dans quel sens ?

Jean-Claude Filteau: Les jeunes qui ont vécu là savaient qu'ils vivaient de la charité des gens, des vingt-cinq sous ramassés. Lorsqu'on vit dans une atmosphère où l'on sait que tout nous vient de la charité des gens, je me dis que c'est un élément important dans la formation des jeunes. Je me dis que les jeunes d'aujourd'hui, aussi, essaient dans les communes de découvrir le sens de la pauvreté. Le sens du partage. La pauvreté du partage. Je pense que c'était peut-être la formation bien humble que le quêteur donnait aux jeunes religieux. Je pense que le Frère Gagnon a eu un rôle bien important dans la formation de tous ces jeunes pères; pendant vingt-cinq ans, il est passé bien des jeunes dans cette maison et je pense qu'ils ont tous retenu quelque chose de ça.

Ill. 117. À La Tour. Québec, mars 1949.

Emile Legault: Vous voyez, Frère Gagnon, pendant vingt-cinq ans vous étiez un éducateur.

Gérard Gagnon: Un éducateur de la foi. On en parle aujourd'hui et je pense qu'on a raison. Éducateur de la foi, c'est l'héritage qu'on a eu de ceux qui nous ont précédés. J'ai jamais eu le bonheur ni l'honneur d'être prêtre, mais je crois que de l'aider à atteindre son but, pour moi, c'était un idéal qui demeure encore aussi fort.

Emile Legault: Il y a le prêtre mais il y a le laïc aussi. Je ne sais pas si vous êtes d'accord avec moi, mais la société de consommation, le matérialisme dans lesquels nous sommes plongés, sont des obstacles à la foi. Il y a vraiment trop de suffisance, de sécurité personnelles pour qu'on se remette entre les mains de la Providence. Mais les gens, jeunes et moins jeunes, sont en réaction contre ça et commencent à en avoir assez. Je crois justement que le jour où nous prendrons le contre-pied de la société de consommation, nous recommencerons à retrouver le sens du gratuit, le sens de la Providence et le sens aussi de la contemplation. On ne contemple pas beaucoup le ventre trop plein. Qu'est-ce que vous en pensez, M. Filteau?

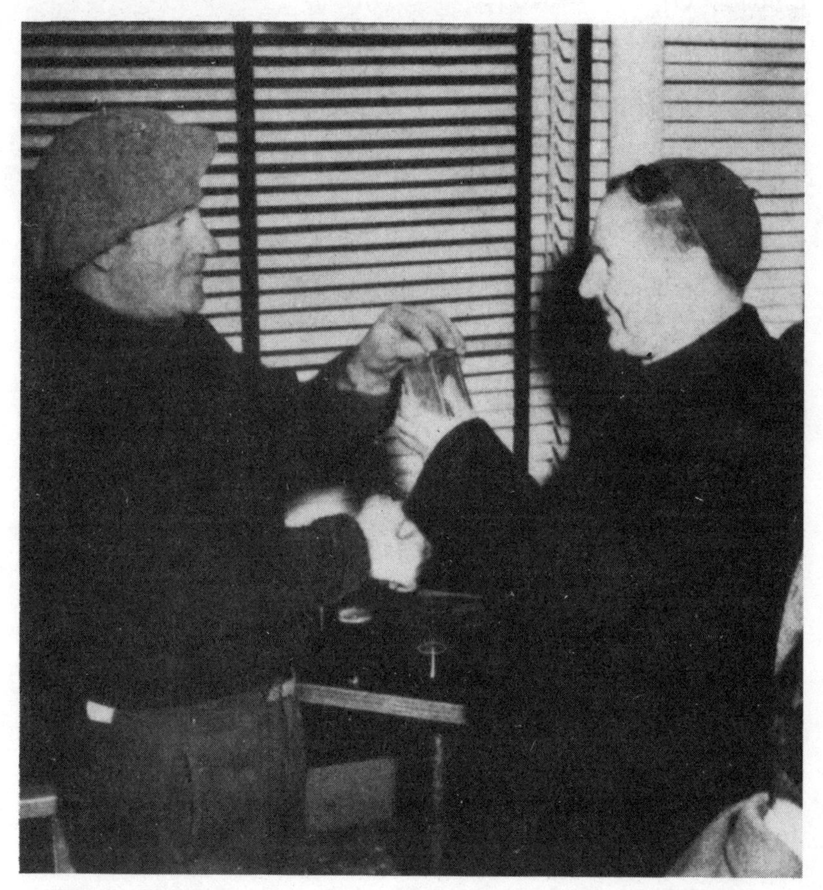

Ill. 118. La charité dans les tavernes. Québec, mars 1949.

Jean-Claude Filteau: Je me dis au fond: « comment annoncer une religion à des gens qui ne manquent de rien ? » C'est impossible. Les gens n'ont besoin de rien et c'est le grand obstacle auquel on se butte actuellement.

Emile Legault: Comment annoncer une religion de salut à celui qui n'a rien et comment annoncer une religion de salut à celui qui a trop ?

Gérard Gagnon: Et comment partager à travers tout ça ?

Emile Legault: Je vous laisse là-dessus, Frère Gagnon. Est-ce que vous pensez que quêter c'est encore possible aujourd'hui ?

Gérard Gagnon: C'est possible en autant que la quête soit motivée par une réalité, une réalité précise, une réalité de foi...

Chapitre XIII

Le bon Père Frédéric

Nicole Guilbault

Emile Legault: Si vous voulez bien, Nicole Guilbault, nous allons faire un petit rappel historique pour connaître le Père Frédéric.

Nicole Guilbault: C'est un Père franciscain qui est arrivé au Canada vers l'âge de cinquante ans. Il avait déjà un bout de vie de fait. Cette vie-là, il l'avait passée en grande partie en Terre Sainte où il avait été, pendant dix ans, vicaire de la custodie de Terre Sainte. Il a donc vécu dix ans en Palestine où il s'est familiarisé avec les lieux saints. On a dit qu'il avait fait de l'archéologie là-bas et qu'il avait été chargé par sa communauté de construire l'église de la paroisse de Bethléem. À un moment donné, les Pères franciscains, qui administraient la partie catholique romaine des lieux saints, ont eu besoin d'argent et ils ont envoyé le Père Frédéric au Canada pour y faire une quête au profit de l'église de Bethléem et de la custodie de Terre Sainte. Son premier séjour s'est ainsi effectué vers 1880 et il a duré neuf mois; il a été accueilli par monseigneur Laflèche et par le curé Désilets à Trois-Rivières. Il a visité alors une bonne partie de la province. Après ces neuf mois, durant lesquels il a eu le temps de s'établir une réputation de saint et de thaumaturge, et pendant lesquels l'effet de sa prédication a été reconnu, il est reparti pour cinq ou six ans en Terre Sainte. Monseigneur Laflèche et le curé Désilets lui demandèrent de revenir, étant donné l'immense popularité qu'il avait connue par ses prédications et ses retraites. Il a même prêché, dit-on, devant 40,000 personnes à l'église Saint-Roch de Québec. À ce moment-là, on avait même parlé de la guérison d'une paralytique qui avait embrassé les saintes reliques rapportées de Terre Sainte. Dans l'après-midi qui avait suivi cette pratique de dévotion, elle était allée trouver le Père Frédéric, dans le sanctuaire, en marchant. La nouvelle s'était répandue rapidement et, paraît-il, les journalistes avaient même reproduit un extrait de son sermon, qui aurait déplu à certaines autorités politiques. Cela entraîna le départ de Québec du Père Frédéric, qui trouva asile à Trois-Rivières.

Ill. 119. Le Père Frédéric. Fonds Villeneuve, CELAT, Université Laval.

Ill. 120. Le Père Frédéric. Fonds Villeneuve, CELAT, Université Laval.

Ill. 121a. *Le prodige du pont de glace*, Cap-de-la-Madeleine. Fonds Villeneuve, CELAT, Université Laval.

Ill. 121b. *Le Père Frédéric et la statue miraculeuse.* Dessin de L.-J. Dubois. Fonds Villeneuve, CELAT, Université Laval.

Ill. 121c. Le Père Frédéric et la fondation du sanctuaire. Fonds Villeneuve, CELAT, Université Laval.

Ill. 122. La « crypte-musée » du Père Frédéric, Trois-Rivières. Fonds Villeneuve, CELAT, Université Laval.

Il est donc demeuré à Trois-Rivières et, moins d'un an plus tard, il se retrouvait en Terre Sainte. Il reviendra définitivement au Québec dix ans plus tard, à Trois-Rivières plus précisément, pour fonder le centre de pèlerinage de Notre-Dame du Cap avec le curé Luc Désilets. Il avait déjà une soixantaine d'années quand il a vraiment pris racine au Québec et il y est resté jusqu'à sa mort. À ce moment-là, il détenait le poste officiel de vicaire custodial de Terre Sainte pour tout le dominion du Canada.

Emile Legault: Le vicaire custodial c'est quelqu'un, au fond, qui est chargé de ramasser des sous pour maintenir dans les lieux saints un endroit de culte catholique...

Nicole Guilbault: C'est tout à fait ça. Lors de son deuxième voyage, grâce à la protection, encore une fois, de monseigneur Laflèche, le Père Frédéric pourra installer le centre custodial à Trois-Rivières, à l'endroit exact où se trouve maintenant la crypte du bon Père Frédéric. Il commence alors son œuvre de prédication et d'apostolat qui durera jusqu'à sa mort vers 1916.

Emile Legault: Vous me parliez tout à l'heure du thaumaturge. Est-ce qu'il avait vraiment cette réputation?

Nicole Guilbault: Il a une très forte réputation de thaumaturge. Les témoignages que j'ai recueillis en font mention. J'ai, entre autres, deux témoignages qui me viennent de la région de Portneuf. Le premier est celui d'une personne de quatre-vingt-cinq ans qui raconte que le Père Frédéric, pendant une de ses prédications, aurait guéri un petit garçon atteint d'une maladie de peau. Elle dit qu'au moment où le Père Frédéric est descendu de chaire, le petit bonhomme aurait délaissé sa mère momentanément pour aller se mettre le visage dans la soutane du Père Frédéric. Quand l'enfant s'est retourné vers l'assistance, il n'avait plus rien. Le second témoignage est celui d'une dame originaire du village de Portneuf et qui demeure maintenant à Trois-Rivières. Je l'ai rencontrée justement à la crypte. Elle nous disait que sa grand-mère avait été guérie par le Père Frédéric alors qu'il faisait des prédications itinérantes dans les paroisses. Sa grand-mère, dit-elle, ne rendait pas ses enfants à terme; après sa rencontre avec le Père Frédéric, elle a pu avoir un garçon. Ce fut son seul enfant, mais il lui a permis d'avoir une progéniture.

Emile Legault: Avez-vous d'autres exemples?

Nicole Guilbault: Les autres exemples que je pourrais citer sont tirés d'un livre intitulé *La vie du Père Frédéric*. C'est un livre tout en images qui est distribué à la crypte. On y parle d'un miracle qui ressemble fort à la multiplication des pains, mais canadianisé: c'est la multiplication des crêpes. On raconte que le Père Frédéric s'était rendu dans une érablière de la région de Nicolet avec une centaine d'élèves du Collège Séraphique, que, devant le nombre, les pauvres cuisiniers de la fête auraient manqué de pâte. Le Père Frédéric leur aurait dit de ne pas s'en faire, qu'il y en aurait pour tout le monde. Et de fait, semble-t-il, tout le monde en aurait eu pour sa faim et même davantage. C'est le genre de miracle ou de fait exceptionnel que la tradition orale a rapporté. Lors de son deuxième séjour, on raconte qu'il a guéri une demoiselle Falardeau de Loretteville, qui était atteinte de tétanos. C'est là un témoignage qui m'apparaît plus sérieux, parce qu'il est authentifié par le médecin qui se trouvait au chevet de la malade et qui s'était avoué impuissant à la guérir. Il aurait dit finalement que la seule personne qui pouvait la guérir était le Père Frédéric. Celui-ci y est allé et, effectivement, il a guéri cette demoiselle qui a vécu jusqu'à quatre-vingt-dix ans.

Emile Legault: Avez-vous fouillé la vie du Père Frédéric pour savoir quel était l'impact de ces, disons, miracles? J'hésite, car il est toujours difficile d'affirmer que c'est effectivement un miracle. Était-ce aussi à cause de son caractère thaumaturgique qu'il était connu ou à cause de sa prédication qui était prenante?

Nicole Guilbault: J'ai l'impression que les deux raisons ont joué. Il semble qu'il ait été un prédicateur non pas d'une éloquence réthorique, mais on dit qu'il avait l'éloquence du geste et du regard. Si sa prédication souffrait parfois des anecdotes un peu longues qu'il racontait, tout ça était probablement fortement balancé et même récupéré par la charge émotive qu'il mettait dans la prédication. On dit même que très souvent, en parlant du Christ ou de la Vierge, il pouvait s'émouvoir et pleurer. On sentait vraiment, paraît-il, d'après les biographies, l'émotion de l'auditoire qui assistait à la prédication.

Emile Legault: Il y a eu au moins une rencontre entre le Père Frédéric et le Frère André, à Montréal, et il paraît que cette rencontre est demeurée historique dans les annales du sanctuaire. Le Frère André et le Père Frédéric avaient tous les deux une grande dévotion à la croix; ils se sont donc rencontrés sur une même longueur d'onde. Mais il y a eu aussi chez le Père Frédéric une période que l'on pourrait appeler une période du désert...

Nicole Guilbault: ...et c'est une période qui, je pense, l'a profondément marqué, une période qui permet de véhiculer, à la fois dans l'imagerie populaire et dans les biographies, une figure de Père du désert. De plus, le Père Frédéric a vraiment implanté au Québec la dévotion à la vraie croix; il a fait construire des calvaires, dont celui de Saint-Élie-de-Caxton par exemple, ou le chemin de croix du sanctuaire du Cap-de-la-Madeleine.

Emile Legault: L'actuel?

Nicole Guilbault: Non, pas l'actuel. D'après les images que j'ai pu voir, le chemin de croix initial était en bois. Mais l'idée même de reconstituer sur un lieu de pèlerinage un décor qui était celui-là même dans lequel il avait circulé lorsqu'il était en Palestine, en Judée, et sur les lieux saints, cette idée donc d'évoquer par le décor les lieux où le Christ avait vécu, c'est lui qui en a pris l'initiative au Cap-de-la-Madeleine, à Saint-Élie et aussi à la Pointe-aux-Trembles, je crois. Lorsqu'il était sur les lieux saints, il était vicaire custodial, on l'a dit; il s'occupait donc d'administrer la paroisse catholique romaine de Bethléem, mais il a aussi guidé des

Ill. 123. Le Père Frédéric et Notre-Dame du Cap-de-la-Madeleine. Fonds Villeneuve, CELAT, Université Laval.

pèlerins en Terre Sainte. Aussi, dans l'imagerie populaire, on le représente très souvent dans un décor qui est de Judée, par exemple à dos de chameau, dans une oasis entourée de palmiers. Là-bas, avec les pèlerins, il faisait non pas de petits pèlerinages touristiques à un calvaire ou un chemin de croix de quatorze stations, mais il refaisait vraiment l'itinéraire du Christ. Il partait avec eux à dos de chameau, s'arrêtait à la fontaine de Gethsémani, faisait une halte au Jardin des Oliviers, se rendait en Judée, et c'était un voyage qui durait trois jours. C'était vraiment un pèlerinage aux sources. Lorsqu'il est revenu au Québec, il a voulu reconstituer les lieux physiques de la vie du Christ pour donner aux pèlerins la possibilité de revivre un peu les émotions et la ferveur qu'il avait connues lors de ses dix années en Palestine.

Emile Legault: On sait que le désert est une école de spiritualité; l'ambiance, le climat, tout ça c'est presque physique comme école spirituelle...

Nicole Guilbault: C'est presque physique en effet. Dans la littérature biographique, on accentue beaucoup cette image de Père du désert. C'est un homme qui a les traits d'un ascète; il a un visage assez émacié, une barbe clairsemée et, lorsqu'il se promenait sur les routes, il était évidemment vêtu de la robe brune des capucins. On dit aussi qu'il marchait avec un long bâton et qu'il avait une besace en bandoulière. Lorsqu'il se promenait à pieds à travers la province, il avait certainement l'air et l'allure physique d'un ermite, tel qu'on peut se représenter un peu les Pères du désert, c'est-à-dire tels qu'on les voit sur les images.

Emile Legault: Pour qui étaient-ce, ces images? Ont-elles été faites avant ou après sa mort?

Nicole Guilbault: Les images, je pense, ont été faites après la mort du Père Frédéric. Il y a eu deux photographies prises de son vivant et qui se trouvent à la crypte. On a son visage et on voit que les peintures et les images de dévotion sont probablement faites à partir de la photo. On note, d'autre part, dans les témoignages concernant le Père Frédéric, que les gens attendaient vraiment de lui un message de bonté. On dit que, dans ses sermons, il parlait fort mais, comme disent les gens, qu'il parlait du bon Dieu qui nous aime, même quand on est méchant. Ça donne une toute autre dimension à la prédication à laquelle on était habitué et où on parlait beaucoup de l'enfer et de la punition. Je crois que le Père Frédéric était un homme bon et que les gens qui le rencontraient ne demandaient pas mieux que d'être bons comme lui.

Ill. 124. Le Père Frédéric revêtu de sa bure. Fonds Villeneuve, CELAT, Université Laval.

Ill. 125. Le Père Frédéric et la traversée miraculeuse du fleuve Saint-Laurent. Fonds Villeneuve, CELAT, Université Laval.

Emile Legault: Est-ce qu'il n'y a pas beaucoup de petites images où le Père Frédéric est représenté comme une transposition du Christ?

Nicole Guilbault: Beaucoup, et son séjour en Terre Sainte a été, je pense, capital de ce point de vue là. Il est arrivé ici et, en l'espace de neuf mois, sa réputation de prédicateur et de thaumaturge s'est implantée. Il faisait des miracles et on le représentait devant des foules et des calvaires. Sur certaines images pieuses, on associe volontairement le Père Frédéric au Christ, de telle sorte qu'il y a vraiment une ambiguïté qui apparaît. On sait, rationnellement, que c'est le Père Frédéric, mais le subconscient, lui, va retenir que c'est une image du Christ. C'est évident que l'on joue beaucoup sur ce que j'appellerais ce dédoublement de personnalité comme, par exemple, quand on le représente agenouillé dans le Jardin de Gethsémani, revivant la Passion du Christ.

Emile Legault: Mais ce qui me dit que le Père Frédéric devait être authentique, c'est qu'à une époque où précisément la prédication avait une grande tendance à être axée sur la peur, sur l'enfer, sur le châtiment, lui prêchait l'amour, le salut, l'espérance. Est-ce que ça ne vous frappe pas?

Nicole Guilbault: Personnellement, j'ai trouvé ça vraiment frappant. Ça devait être un témoignage de sérénité finalement, de

Ill. 126. « Le Bon Père Frédéric au jardin de Gethsémani ». Fonds Villeneuve, CELAT, Université Laval.

quelqu'un de palpable, qu'on pouvait rencontrer, à qui on pouvait parler, qu'on pouvait voir et qui circulait à travers tout le Québec. Il amenait aussi des milliers de pèlerins au Cap-de-la-Madeleine, il les rencontrait et prêchait aux foules. C'était donc un personnage vivant, mais dans le sens le plus large du terme, non pas vivant d'une vie biologique, mais capable de vivre ce qu'il disait. Quand on exploite l'image du Christ, on s'aperçoit que le physique même du Père Frédéric s'y prêtait. De plus il avait séjourné en Terre Sainte et apporté des reliques de la vraie croix. Comme il prêchait devant la croix du Calvaire, il était pratiquement identifié à ça.

Emile Legault: Nous allons maintenant tourner la page et parler du Père Frédéric écrivain et rédacteur.

Nicole Guilbault: Il a été le rédacteur pendant de nombreuses années des annales de Notre-Dame-du-Cap. De ce point de vue, il s'est inscrit dans l'esprit de régénération sociale que Léon XIII avait donné à l'Église au XXème siècle. Avant de s'occuper de cette revue, il avait déjà été rédacteur de la revue des tertiaires à Bordeaux.

Emile Legault: Est-ce qu'il a beaucoup écrit?

Nicole Guilbault: Le Père Hugolin Lemay a réalisé une bibliographie des œuvres du Père Frédéric qui est assez importante. Outre, disons, des ouvrages de journalisme comme tels, il a écrit

Ill. 127. Scènes de la vie du Père Frédéric. Tryptique de Franz Peter, Trois-Rivières. Fonds Villeneuve, CELAT, Université Laval.

une trentaine de volumes de vies de saints, *La vie de saint Antoine de Padoue, La vie de saint Joseph, La vie du Christ,* etc. Il a aussi rédigé des relations de ses voyages en Terre Sainte.

Emile Legault: Nous avons parlé du Père Frédéric, de spiritualité, de prédication, mais qu'est-ce qui ressort de tout ça?

Nicole Guilbault: J'ai l'impression que c'était un homme extrêmement humain, et s'il a été autant apprécié de la part des pèlerins et des officiels de l'époque, comme monseigneur Laflèche et le curé Désilets, c'est qu'il a apporté un témoignage qui n'était pas seulement verbal, mais aussi celui d'un homme qui a fait sa tâche jusqu'au bout et qui l'a faite très simplement.

Table des illustrations

Photo de la page couverture: «*L'Oeuvre de la Sainte-Enfance*». Image de petit format de l'Oeuvre de la Sainte-Enfance, imprimée en rose. Fonds Villeneuve, CELAT, université Laval. Photo du Service de l'audio-visuel de l'université Laval (à l'avenir SAV).

1. *Saint Expédit*.

«Ce saint martyr est invoqué surtout pour les promptes solutions; c'est bien le saint de la dernière heure, il nous incite à faire vite et bien et à ne jamais remettre au lendemain ce qui doit être fait tout de suite le jour même». Les journaux rapportent assez fréquemment des faveurs obtenues par son intercession, quoiqu'il ne fasse plus partie du panthéon reconnu par l'Église catholique. Image en noir et blanc, de petit format, entourée de dentelle. Fonds Villeneuve, CELAT, université Laval. Photo SAV.

2. *Croix Joseph Bédard*.

Érigée en 1933 sur la route du Président-Kennedy à Sainte-Marie de Beauce, cette croix aligne sur sa traverse les instruments de la Passion et sur sa hampe titulus, crucifix et niche. Photo Inventaire des Biens Culturels (à l'avenir IBC), négatif no 75.5773.24A(35).

3. *Le Mois de Marie*.

Peinture à l'huile de Blanche Bolduc illustrant la coutume du «mois de Marie» (1975). Coll. Jean Simard. Photo Pierre Cayer, SAV.

4. *Croix Émile Lacasse*.

Vue des instruments de la Passion. La croix a été élevée en 1948 à Saint-Honoré (Beauce). Photo IBC, négatif no 75.5780.9A(35).

5. *Croix Rosaire Roy*.

Croix noire en métal, décorée d'un cœur rouge et d'un soleil multicolore, rouge, jaune et blanc. L'arbre généalogique de la famille Roy a été encadré et fixé sur la hampe. Cette croix, située à Saint-Georges Ouest, a été rénovée en 1968. Photo IBC, négatif no 75.5773.24A(35).

6. *Croix Berthelet*.

Croix de bois, blanche et noire, aux extrémités polygonales. Érigée sur le chemin du Lac Bélanger (Turgeon, Labelle). Phot IBC.

7. *Carte de répartition des croix de chemin du Québec.*
Carte dessinée par Isabelle Diaz, Laboratoire de cartographie, Département de géographie, université Laval. Photo SAV.

8. a) *Croix anonyme.*
Croix métallique située à Saints-Anges en Beauce. La niche contenait autrefois une statuette de la Vierge qu'on a remplacée par une bouteille de bière. Un célèbre chanteur québécois avait déjà agi de même, après que la publicité qu'il avait faite au profit d'une marque de bière eut servi sa carrière. Le geste qu'il avait ainsi posé, loin à ses yeux de marquer le mépris ou de l'ironie, révélait plutôt une attitude pour le moins trouble à l'égard du sacré. Photo IBC.

b) *Détail de la niche.*

9. a) *Carte géographique de la Beauce.*
D'après Maurice Lorent, *Le parler populaire de la Beauce*, Leméac, 1977, 13. Photo SAV.

b) *Carte légendaire de la Beauce.*
Carte tirée de: Jean-Claude Dupont, *Le légendaire de la Beauce*, Québec, Garneau, 1974. Photo SAV.

10. *Croix Nazaire Roy.*
Croix en bois, blanche et noire, construite en 1973 à Saint-Benoît-Labre, Beauce. Photo IBC, négatif no 75.5777.26 (35).

11. *Croix Marcel Labbé.*
Croix en bois dressée en 1974 sur la route du Président-Kennedy, à Saint-Joseph de Beauce. La croix possède un titulus, un cœur transpercé d'une épée et une niche renfermant une statuette de Notre-Dame du Cap-de-la-Madeleine. Photo IBC, négatif no 75.5783.17A(35).

12. *Croix Jean-Louis Sylvain.*
Cette croix de bois, assemblée à mortaise, est peinte en noir, le cœur en rouge et les instruments de la Passion en blanc. Croix érigée en 1972 à Saint-Séverin, Beauce. Photo IBC, négatif no 75.5783.17A(35).

13. *Croix Émile Lacasse.*
Croix âgée vraisemblablement de trente ans, comme l'attesterait le millésime 1948. La niche renferme une statuette en plâtre de la Vierge. Croix plantée à Saint-Honoré, Beauce. Photo IBC, négatif no 75.5780.8A(35).

14. *Croix Antonio Huppé.*
Croix blanche en bois, surmontée d'une petite croix et décorée du cœur et des instruments de la Passion. La niche contient une statuette de sainte Anne avec Marie. Bien qu'en bon état, cette croix date de 1938; elle remplace une ancienne croix plantée par un Huppé en 1903, et ainsi de suite

jusque vers les années 1846, quand fut érigée, aux dires de M. Antonio Huppé, la première croix familiale. Photo IBC.

15. *Croix J.-A. Marcoux.*
Cette croix, dont il ne reste plus que quelques traces de peinture, a été élevée vers 1950 à Saint-Honoré, Beauce. Photo IBC, négatif no 75.5770.36 (35).

16. a) *Croix Philippe Poulin.*
Cette croix en voie de détérioration a été construite en 1951 à Saint-Victor-de-Tring, Beauce. Elle se caractérise par la présence d'une main sur la traverse, symbole dont la présence est tout compte fait assez rare sur les croix. Photo IBC, négatif no 75.5777.6(35).

b) *Détail de la traverse.*
Photo IBC, négatif no 75.5777.7(35).

17. *Croix Martin Vachon.*
Située non loin d'une ancienne école de rang, cette croix fut jusqu'à la disparition de cette dernière un lieu de prières fréquenté par la « maîtresse » et les écoliers le midi, par les habitants du rang le soir. Rénovée en 1969, cette croix se trouve à East Broughton. Photo IBC, négatif no 75. 5766.9A(35).

18. *Calvaire Odilon Grenier.*
Cette cérémonie au pied de la croix eut lieu en 1977, pendant le « mois de Marie », à East Broughton-Station. Juste derrière la croix, on aperçoit M. Odilon Grenier qui sculpta avec l'aide de son père le corpus actuel. Photo IBC.

19. *Calvaire Yvon Landry.*
Attribué à Lauréat Vallières qui l'aurait sculpté vers 1948, ce corpus a été replacé en 1966 sur une croix métallique fabriquée par le forgeron Émile Morin. Calvaire situé à un carrefour, à Linière, Beauce. Photo IBC, négatif no 75.5776.11(35).

20. *L'arrêt des porteurs à la croix du chemin.*
En Beauce, naguère, la coutume voulait que les cercueils soient portés à bras plutôt qu'en voiture. Pour se reposer, les porteurs — et le cortège — s'arrêtaient au pied des croix de chemins et y déposaient leur fardeau sur un support spécialement aménagé à cet effet. Huile sur toile de Jean-Claude Dupont. Coll. Pierre Lessard. Photo SAV.

21. *Calvaire Simone Morin.*
Oeuvre remarquable, ce calvaire a été sculpté par Mme Simone Morin en 1955 et se dresse depuis ce temps à Sainte-Aurélie (Beauce), non loin de la frontière canado-américaine. Photo IBC, négatif no 75.5769.23(35).

22. *Croix Marcel Marcoux.*
Cette croix noire en métal a été construite vers 1960 et se trouve à un carrefour, à Saint-Elzéar de Beauce. Elle est décorée d'un cœur transpercé d'une lance et d'un titulus, et sa niche renferme une statuette en plâtre du Christ. Photo IBC, négatif no 75.5783.5A(35).

23. «*Commandements de Dieu ou Décalogue*».
«Ce tableau représente Moïse recevant de Dieu les deux tables de la loi. Pendant que Dieu donnait ses commandements à Moïse, une nuée épaisse couvrait le mont Sinaï...». (*Catéchisme en images*, Paris, Maison de la Bonne Presse, [1908], pl. 26). Photo SAV.

24. «*La Prière*».
«Ce tableau nous offre plusieurs exemples de la prière faite en commun dans les familles. *En haut, à gauche*, une famille chrétienne récite en commun, devant un crucifix et une image de la Sainte Vierge, la prière du matin et du soir. *À droite*, tous les membres d'une famille récitent, en commun, la prière avant le repas. *En bas, à gauche*, tous les membres d'une famille prient, en commun, avant le travail» (*Catéchisme en images*, pl. 52). Photo SAV.

25. *Croix Dorvigny Berthiaume.*
Fabriquée vers 1965 par le forgeron Jean-Louis L'Heureux, cette croix aux extrémités terminées par le monogramme de Marie se trouve à Saint-Elzéar de Beauce. Photo IBC, négatif no 75.5787.13A(35).

26. *Croix Marcel Marcoux.*
Niche contenant une statuette du Sacré-Coeur de Jésus pour lequel les Beaucerons entretiennent une dévotion particulière. Photo IBC, négatif no 75.5783.6A(35).

27. a),b),c) *Décors religieux et objets de dévotion.*
En Beauce, peut-être plus qu'ailleurs au Québec, l'intérieur des maisons révèle une foule d'objets religieux: tableaux, images, crucifix, statuettes, etc., qui décorent les murs et qui créent une atmosphère imprégnée de surnaturel. Photos Paul Jacob.

28. *La chapelle Cliche.*
Chapelle de procession située à Sainte-Marie de Beauce et érigée à la suite d'un vœu fait à sainte Anne. La présente construction date de 1891. Deux l'ont précédée sur le même site, en 1832 et en 1778. Photo Jean Simard.

29. *Ex-voto de Dorval.*
Peinture attribuée à Paul Beaucourt; elle daterait de 1740. Phoro IBC.

30. «*Commandements de l'Église* [*1er et 2e*]»
« Les fêtes tu sanctifieras,
Qui te sont de commandement.

Les dimanches Messe ouïras,
Et les fêtes pareillement». (*Catéchisme en images*, pl. 49).

31. «*La Communion des Saints*».
«Ce tableau représente la Communion des Saints: on y voit l'assemblée des Anges et des Saints qui sont dans le ciel, les fidèles de la terre et les âmes du Purgatoire«. (*Catéchisme en images*, pl. 13).

32. *Un curé de campagne*.
«Au cours des corvées Monsieur le curé distribue des pommes, de la limonade glacée». Photo et légende tirées de: *25ᵉ Anniversaire de l'Érection de l'Église Paroissiale Giffard (1934-1959)*, non paginé.

33. a) *Le prêtre et les rites de passage*.
Dessin d'Henri Julien pour «Un Murillo» de Louis Fréchette, paru plus tôt dans: Louis Fréchette, Paul Stevens et Benjamin Sulte, *Contes canadiens*, Montréal, 1919, et republié dans: Louis Fréchette, Honoré Beaugrand et Paul Stevens, *Contes d'autrefois*, Montréal, Beauchemin, 1946, p. 88. Photo Jean Simard. Reproduction SAV.

b) *Le prêtre et les rites de passage*.
«À mesure qu'il parlait, dit la légende, le Père Lacombe écrivait». Illustration anonyme parue dans: Eugène Achard, *Le ranch de l'U Barré?*, Montréal, Librairie générale canadienne, 1951, p. 119. Photo Jean Simard. Reproduction SAV.

34. «*La mort*».
«Ce tableau représente la mort; il nous fait voir qu'il est utile de penser à la mort, pour se pénétrer de la vanité des choses de la terre et s'attacher uniquement aux biens de l'autre vie». (*Catéchisme en images*, pl. 55). Photo SAV.

35. *La Sainte Famille*.
Plâtre polychrome présentant cette caractéristique plutôt exceptionnelle de montrer la Vierge, l'Enfant Jésus et saint Joseph se tenant par la main. Provient du couvent des sœurs du Bon-Pasteur, à Québec. Coll. Jean Simard. Photo Jean-Michel Fauquet, SAV.

36. «*Deuxième commandement de Dieu*»
«Dieu en vain tu ne jureras
Ni autre chose pareillement». (*Catéchisme en images*, pl. 29). Ce tableau représente, *au centre*, le parjure de saint Pierre; *à gauche*, *en bas*, sept hommes mis en croix sous le règne de David à cause d'un serment violé par Saül; *à droite*, *en bas*, Esaü perd son droit d'aînesse parce qu'il a juré «*sans nécessité*», Photo SAV.

37. a) «*Le Baptême*».
«Le baptême est si nécessaire au salut, que les enfants eux-mêmes ne peuvent entrer dans le ciel s'ils ne sont pas baptisés. Voilà pourquoi nous

voyons sur ce tableau, *en haut, à gauche*, l'âme d'un enfant mort sans Baptême se diriger vers une région inconnue, où elle sera privée à jamais du bonheur céleste». *(Catéchisme en images*, pl. 19). Photo SAV.

b) *Le brassard de confirmation.*
Comme un insigne très important, les jeunes garçons portaient le brassard aussi bien au rite de la première communion qu'à celui de la confirmation. Image polychrome de petit format. Fonds Villeneuve, CELAT, université Laval. Photo SAV.

c) «*La Confirmation*»
Image polychrome de grand format. Fonds Villeneuve. CELAT, université Laval. Photo SAV.

38. *Ex-voto de monsieur Georges-Henri Blais.*
Don offert par monsieur Georges-Henri Blais au mois d'octobre 1949. Ex-voto à la galerie d'art No 26. Photo Luc. -F.L. no 3369-2. Coll. Sainte-Anne-de-Beaupré.

39. *Ex-voto de Mme Riverin et de ses enfants.*
Cet ex-voto, commandé par M. Riverin, rend grâces à sainte Anne d'avoir sauvé du naufrage Mme Riverin et ses quatre enfants, en 1703. Oeuvre attribuée à Michel Dessaillant de Richeterre par Gérard Morisset. Photo IBC.

40. *Ex-voto de monsieur Napoléon Racine.*
Le donateur de cet ex-voto, M. Napoléon Racine, était propriétaire d'une goélette à bord de laquelle il se rendait souvent aux Îles Saint-Pierre et Miquelon. Don fait en 1922 à Sainte-Anne-de-Beaupré. Coll. et photo Sainte-Anne-de Beaupré.

41. *Vénération de la relique de sainte Anne à Yamachiche.*
Les habitants de Yamachiche, dont sainte Anne est la patronne, vénèrent sa relique le jour de sa fête. Photo Jocelyne Milot.

42. *Ex-voto de monsieur Juing.*
«Le navire de monsieur Juing, marchand de Bordeaux, poursuivi par trois vaisseaux hollandais, est sauvé par l'intercession de sainte Anne: au moment d'être pris, un nuage l'enveloppe, le dérobe à la vue de l'ennemi et lui donne le temps d'aller chercher refuge dans l'embouchure du Saguenay (description tirée de la *Gazette des familles*, vol. III. p. 322)». Copie faite en 1826 par Antoine Plamondon d'un ex-voto datant, paraît-il, de 1696. Photo IBC.

43. *« Deuxième commandement de Dieu ».*
« Dieu en vain tu ne jureras,
Ni autre chose pareillement ».
« Nous voyons, *au bas* de ce tableau, *à droite*, des marins à genoux devant un autel de la Sainte Vierge. Ils ont fait vœu pendant une tempête, de visiter un sanctuaire de Marie s'ils échappaient à la mort. Ayant été exaucés, ils viennent accomplir leur vœu ». (*Catéchisme en images*, pl. 31). Photo SAV.

44. *Chapelle des matelots à Sainte-Anne-de-Beaupré.*
Chapelle commémorative des marins à Sainte-Anne-de-Beaupré. Bâtie en 1878 avec les matériaux de la première église, érigée en 1676. Photo Jean Simard.

45. *Ex-voto des trois naufragés de Lévis.*
Ce tableau sur bois, que Gérard Morisset attribue à Paul Beaucourt, « raconte comment, à deux heures du matin, le 17 juin 1754, une vague fit chavirer un bateau qui traversait le Saint-Laurent, de Lévis à Beauport. Deux personnes se noyèrent, mais trois furent sauvées après s'être recommandées à Sainte-Anne (sic) ». Photo IBC.

46. *Notre-Dame-du-Perpétuel-Secours.*
Huile sur cuivre par Hélène Métayer, 1975. Coll. Jean-Claude Dupont. Photo SAV.

47. *Chapelle votive de Sainte-Anne-de-Bellevue.*
Réplique de la première chapelle votive de Sainte-Anne-de-Bellevue. La chapelle primitive remonterait à 1710. Photo Jocelyne Milot.

48. *Le Frère André.*
Photo et légende tirées du livre de Étienne Catta, *Le Frère André (1845-1937) et l'Oratoire Saint-Joseph du Mont-Royal*, Fides, 1965, p. 820. Pl. XXV. Cliché Armand.

49. *Le Frère André, portier au Collège Notre-Dame.*
Photo tirée du livre de Gilles Phabrey, *Le Portier de saint Joseph. Le Frère André, c.s.c., l'apôtre du Mont-Royal*, Fides, 1958, entre les pages 48 et 49. Reproduction photographique SAV.

50. *Le Frère André au moment de sa première communion.*
Photo et légende tirées de Catta, *op. cit.*, p. 124, Pl. V. Reproduction photographique SAV.

51. «*Souvenir de l'Oratoire St-Joseph du Mont-Royal*»
Image polychrome de petit format. Fonds Villeneuve, CELAT, université Laval. Photo SAV.

52. «*Un invalide touche le tombeau du Frère André*».
« Un invalide touche le tombeau du Frère André dans l'espoir d'être guéri». Photo et légende tirées du livre de Gille Phabrey, *op. cit.*, entre les pages 112 et 113. Reproduction photographique SAV.

53. «*Saint-Joseph du Mont-Royal*».
Image polychrome de petit format. Au verso, «prière à saint Joseph pour obtenir une faveur spéciale». Fonds Villeneuve, CELAT, univesité Laval. Photo SAV.

54. «*Saint-Joseph du Mont-Royal*».
Image polychrome de petit format. Au verso, prière «pour la béatification du Frère André». Fonds Villeneuve, CELAT, université Laval. Photo SAV.

55. *Pèlerinage*.
Foule de pèlerins à l'intérieur de la basilique de l'Oratoire pour célébrer l'anniversaire de Fatima, le 13 octobre 1960. Photo Oratoire Saint-Joseph.

56. a) «*Les ouvriers vont offrir leurs outils à S. Joseph...*»
« Les ouvriers vont offrir leurs outils à S. Joseph, lors de la Fête du travail». Photo et légende tirées du livre de Étienne Catta, *op. cit.*, p. 1021, pl. XLI. Reproduction photographique SAV.

b) «*La bénédiction des outils de travail...*»
« La bénédiction des outils de travail par S. Em. le Cardinal Léger». Photo et légende tirées du livre de Catta, *op. cit.*, p. 1021, pl. XLI. Reproduction photographique SAV.

57. «*Le pèlerinage des malades à la basilique*».
Photo et légende tirées de Phabrey, *op. cit.*, entre les pages 112 et 113. Reproduction photographique SAV.

58. *Différentes images du Frère André*.
a) Image polychrome de petit format. Au verso, prière pour «obtenir la glorification du Frère André, c.s.c.» Fonds Villeneuve, CELAT, université Laval. Photo SAV.
b) Image polychrome de petit format. Au verso, prière «pour obtenir la béatification du Frère André, c.s.c.» Fonds Villeneuve, CELAT, université Laval. Photo SAV.
c) Carte postale polychrome du «Frère André, c.s.c., fondateur du sanc-

tuaire (1845-1937)». Fonds Villeneuve, CELAT, université Laval. Photo SAV.

59. a) *Notre-Dame du Cap-de-la-Madeleine.*
Statue en bois polychrome de fabrication domestique. Coll. Robert-Lionel Séguin. Photo Yves Lacasse. Projet Jean Simard: «Art populaire du Québec».

b) *Notre-Dame du Cap-de-la-Madeleine.*
Cette statue en bois polychrome, sculptée par le madelinois Oscar Héon, représente la Vierge du Cap sous son premier vocable de Notre-Dame du Rosaire. Coll. et photo Musée du Québec.

60. *Le prodige du pont de glace.*
Cette peinture, signée L.-J. Dubois, montre que la construction de l'église du Cap-de-la-Madeleine fut rendue possible grâce à la formation d'un pont de glace qui reliait les deux rives du Saint-Laurent. Photo Studio Notre-Dame, Sanctuaire de Notre-Dame du Cap-de-la-Madeleine.

61. *Le pont des chapelets.*
Les Oblats de Marie Immaculée, les gardiens actuels du sanctuaire, avaient caressé un certain temps l'idée d'un pont, dit des chapelets en souvenir du pont de glace, qui traverserait le fleuve à proximité du lieu de pèlerinage. Ce tableau du peintre trifluvien Raymond Lasnier illustre leur projet. Photo Studio Notre-Dame, Sanctuaire de Notre-Dame du Cap-de-la-Madeleine.

62. *Le sanctuaire, lieu de pèlerinage national.*
Dès la fin du XIXe siècle, le sanctuaire de Notre-Dame connut une audience très grande, que les images de piété traduisirent en insistant sur l'aspect national du lieu de pèlerinage. Image polychrome de grand format. Fonds Villeneuve, CELAT, université Laval. Photo SAV.

63. a) *Croix Marcel Labbé.*
La dévotion populaire à Notre-Dame du Cap-de-la-Madeleine se manifeste assez souvent par la présence de sa statuette dans les niches des croix de chemin. Croix Marcel Labbé, Saint-Joseph, Beauce. Photo IBC, négatif no 75.5781.36(35).

b) *Niche creusée dans un arbre.*
Le fait de placer une statuette de Notre-Dame du Cap-de-la-Madeleine, soit dans une niche creusée à même le tronc d'un arbre, comme le montre cette photo prise à Neuville dans le comté de Portneuf, soit dans une grotte, soit sur une tablette, etc., sera souvent le signe d'une faveur demandée ou obtenue. Photo Jean Simard.

64. *Le deuxième couronnement de la statue.*
En 1954, la statue est couronnée une deuxième fois devant tout l'épiscopat canadien et proclamée à cette occasion « Reine du Canada ». Photo Studio Notre-Dame, Sanctuaire de Notre-Dame du Cap-de-la-Madeleine.

65. *Les « miraculés » de Notre-Dame...*
Photos de « miraculés » publiées originellement dans les *Annales* de Notre-Dame du Cap. Photos Studio Notre-Dame, Sanctuaire de Notre-Dame du Cap-de-la-Madeleine.

66. *Sainte Anne et la tempérance.*
Image polychrome de grand format. Coll. Jean Du Berger, Musée du Québec. Photo Musée du Québec.

67. *Charles Chiniquy et la médaille de tempérance.*
Figure très colorée du clergé québécois, Chiniquy est surtout connu par le rôle considérable qu'il a joué dans les croisades de tempérance, ainsi que par une carrière très mouvementée qui l'a conduit à l'excommunication. Vers 1850, le peuple le considérait comme un saint et son image, dit-on, était dans toutes les maisons. Après cette date, ses nombreuses frasques terniront cette belle réputation et on prétendit qu'en punition des sacrilèges qu'il avait commis, ses pouces et index devinrent « complètement tors ». Renseignements et photo tirés du livre de Marcel Trudel, *Chiniquy*, Trois-Rivières, Éditions du Bien public, 1955, p. 278. Reproduction SAV.

68. *Mgr de Forbin-Janson.*
Médaillon en noir et blanc, bordé de dentelle. Image de petit format. Fonds Villeneuve, CELAT, université Laval. Photo SAV.

69. *Colonne de tempérance à Beauport.*
Érigée par Chiniquy qui était alors curé de Beauport, elle a été bénite le 7 septembre 1841 par Mgr de Forbin-Janson. Aujourd'hui détruite. Ce jour-là, vingt-deux cavaliers se rendent au séminaire de Québec d'où ils forment un cortège à l'évêque jusqu'à Beauport. La messe dite, la procession se met en marche: drapeau blanc porté par deux jeunes filles vêtues de blanc; sept chœurs de femmes avec bannières; vingt-deux sections d'hommes commandées par vingt-deux cavaliers; puis un nombreux clergé. « Nous n'avons jamais rien vu de si beau, de si imposant, de si ravissant que cette cérémonie », écrivait *le Canadien*; il y avait là, de toutes les paroisses environnantes, environ 10,000 personnes. Mgr de Forbin-Janson fit un grand discours. Renseignements tirés du livre de Marcel Trudel, *op. cit.* Photo tirée de: *25e Anniversaire de l'Érection de l'Église paroissiale Giffard (1934-1959)*, non paginé. SAV.

70 à 82 *Regardez-moi ça!*
Exemple de la littérature populaire sur le thème de la tempérance. Dessins et commentaires tirés de: P. Hugolin, o.f.m., *Regardez-moi ça!*, 24 dessins

inédits par Karl, Montréal [Imp. A. Ménard], 1911, [32 p.] in-12. Karl est le pseudonyme du Frère Noël, o.f.m. Le premier tirage de cette brochure atteignit le chiffre impressionnant de 25,000 exemplaires. Photo SAV.

83. «*Le Beau cavalier*»
«Un inconnu très élégant s'était invité à une veillée de mardi gras et, contrairement à la coutume, il dansa toutes les danses avec la jeune hôtesse et sans ôter ses gants. Vers minuit la jeune fille sentit des griffes qui lui entraient dans la chair. Comprenant qu'elle avait dansé avec le diable, elle fit un grand signe de croix et son partenaire disparut aussitôt à travers le mur». Commentaire tiré de: *Légendes, coutumes, métiers de la Nouvelle-France: Bronzes d'Alfred Laliberté*, Montréal, Beauchemin, 1934. Coll. et photo Musée du Québec.

84. «*La veillée du diable*».
Esquisse (fusain sur papier) de Charles Huot (1855-1930). Coll. et photo Musée du Québec.

85. «*Le Diable des Forges*».
Dessin d'Henri Julien pour «Le Diable des Forges» de Louis Fréchette, paru d'abord dans l'*Almanach du Peuple*, Beauchemin, 1904, et republié dans: Louis Fréchette, Honoré Beaugrand et Paul Stevens, *Contes d'autrefois*, Montréal, Beauchemin, 1946, p. 171. Photo Jean Simard.

86. «*La mort du juste et la mort du pécheur*».
«Ce tableau représente la mort du juste et la mort du pécheur. Le juste est représenté, *en haut* du tableau, dans son lit de douleur, résigné et recevant les dernières consolations de la religion... *Au bas* du tableau, le pécheur mourant repousse le prêtre avec mépris. (...) Les démons entourent son lit et attendent qu'il rende le dernier soupir pour s'emparer de son âme». (*Catéchisme en images*, pl. 56). Photo SAV.

87. a) «*La chasse-galerie*».
Dessin d'Henri Julien pour «La chasse-galerie» d'Honoré Beaugrand, paru d'abord dans l'*Almanach du Peuple*, Beauchemin, 1893, et republié dans Fréchette, Beaugrand et Stevens, *Contes d'autrefois*, Montréal, Beauchemin, 1946, p. 271. Photo Jean Simard.

b) «*La chasse-galerie*».
Dessin d'Henri Julien pour «Tom Caribou» de Louis Fréchette, paru d'abord dans l'*Almanach du Peuple*, Beauchemin, 1898 et republié dans: Fréchette, Beaugrand et Stevens, *Contes d'autrefois*, Montréal, Beauchemin, 1946, p. 59. Photo Jean Simard.

88. *Différentes images de petit format*.
«La Grande Relique» de Sainte-Anne-de-Beaupré, *en haut*, *à gauche*; sainte Anne d'Auray, *en haut, à droite*; prière au Christ en croix, *en bas*,

à gauche; «Souvenir de Prêtrise», *en bas*, *à droite*. Fonds Villeneuve, CELAT, université Laval. Photo SAV.

89. «*À la douce mémoire de...*».
Image mortuaire de petit format. Fonds Villeneuve, CELAT, université Laval. Photo SAV.

90. «*Aime Jésus*».
Image polychrome de petit format, bordée de dentelle blanche. Fonds Villeneuve, CELAT, université Laval. Photo SAV.

91. *Gérard Raymond (1912-1932)*.
«Gérard Raymond, né à Québec le 20 août 1912, a fait ses études au Séminaire de Québec et est mort à l'hôpital Laval le 5 juillet 1932». Son journal intime a déjà été publié, ce qui a certainement contribué à asseoir sa réputation de sainteté dans les milieux populaires de la ville de Québec. Image polychrome de petit format. Fonds Villeneuve, CELAT, université Laval. Photo SAV.

92. «*L'Enfant Jésus miraculeux de Prague*».
Image polychrome de grand format, illustrant les miracles attribués à la statue miraculeuse de l'Enfant Jésus de Prague. Courte prière au bas de l'image. Fonds Villeneuve, CELAT, université Laval. Photo SAV.

93. «*Après 1 journée de chicane...*».
Phrase écrite au verso d'une image de petit format. Fonds Villeneuve, CELAT, université Laval. Photo SAV.

94. «*Oeuvre de la Ste-Enfance*».
Image de petit format au médaillon polychrome entouré de dentelle blanche. Fonds Villeneuve, CELAT, université Laval. Photo SAV.

95. «*L'Enfer*».
«Ce tableau nous donne une faible idée des peines qu'on souffrira dans l'Enfer. (...) Au *centre* du séjour infernal, se trouve un cadran dont l'aiguille marque toujours la même heure, et cette heure, c'est l'éternité. On veut montrer par là que les peines des damnés dureront *toujours*, et que, une fois entré dans l'enfer, on n'en sortira *jamais*». (*Catéchisme en images*, pl. 17). Photo SAV.

96. «*Les adieux du missionnaire*».
Image polychrome de grand format destinée «Aux amis de la Propagation de la Foi». Imprimée sur les presses de la compagnie de lithographie Burland-Desbarats, rue Bleury à Montréal, il est possible que cette image ait été offerte en prime aux nouveaux abonnés de l'hebdomadaire illustré *L'Opinion publique* que Georges Desbarats a fait paraître de 1870 à 1883. Fonds Villeneuve, CELAT, université Laval. Photo SAV.

97. «*Oeuvre Pontificale de la Ste-Enfance*».
Image de petit format. Fonds Villeneuve, CELAT, université Laval. Photo SAV.

98. «*Commandements de l'Église* [*3e et 4e*]».
«Tous tes péchés confesseras,
À tout le moins une fois l'an.
Ton Créateur tu recevras,
Au moins à Pâques humblement». (*Catéchisme en images*, pl. 50). Ce tableau montre l'«itinéraire annuel du chrétien», c'est-à-dire le cycle liturgique des fêtes qu'il doit sanctifier s'il veut gagner le «chemin du ciel» et éviter celui de l'enfer. Photo SAV.

99. «*Agnus Dei*».
«Agnus Dei» en tissus brodés et peints à la main. Fonds Villeneuve, CELAT, université Laval. Photo SAV.

100. *Les scapulaires*.
Petits scapulaires brodés et peints à la main. Fonds Villeneuve, CELAT, université Laval. Photo SAV.

101. *Petit crucifix d'intérieur*.
Fabriqué par Pierre Bisson de Saint-Léon-de-Standon, ce corpus est la réplique d'un plus ancien, de même format, qui aurait servi de modèle à plusieurs calvaires de chemin exécutés par le même fabricant. Coll. Jean Simard. Photo Pierre Cayer, SAV.

102. *Croix de tempérance*.
Croix noire en bois portant sur sa traverse l'inscription «TEMPÉRANCE» en lettres dorées. Coll. et photo Jocelyne Milot.

103. *Images à manger*.
Petites images faites de papier extrêmement fin et destinées à être mangées. Fonds Villeneuve, CELAT, université Laval. Photo SAV.

104. *Canne*.
Canne en bois verni dont les motifs sculptés racontent la vie du Christ. Les «hommes de chantiers» s'adonnaient souvent à cette «patience» dans leurs moments de loisir. Coll. et photo Musée du Québec.

105. *Saint Benoît*.
Image-feuillet de petit format réalisée à l'intention des membres de l'Association Saint-Benoît. Fonds Villeneuve, CELAT, université Laval. Photo SAV.

106. *Saint Christophe portant Jésus.*
Image polychrome de petit format. Au verso, cette phrase: «Souvenir de mère». Fonds Villeneuve, CELAT, université Laval. Photo SAV.

107. *Saint Isidore.*
Image polychrome de petit format. Fonds Villeneuve, CELAT, université Laval. Photo SAV.

108. «*Saint Jean l'évangéliste*».
Image de petit format, noir et blanc, entourée de dentelle blanche. Fonds Villeneuve, CELAT, université Laval. Photo SAV.

109. «*Commandements de l'Église* [*5e et 6e*]».
«Quatre-Temps, vigiles jeûneras,
Et le Carême entièrement.
Vendredi chair ne mangeras,
Ni le samedi mêmement. (*Catéchisme en images*, pl. 51). Photo SAV.

110. «St Jean, Évangéliste».
Image polychrome de petit format. Au verso, cette phrase: «Souvenir du frère Nethelme (?) à Noël 1915». Fonds Villeneuve, CELAT, université Laval. Photo SAV.

111. *Saint Christophe.*
Image de couleur brune et blanche, de petit format. Fonds Villeneuve, CELAT, université Laval. Photo SAV.

112. *Sainte Barbe.*
Image polychrome de petit format. Le col de la robe, le manteau et le calice sont faits avec un papier qui imite le velours. Fonds Villeneuve, CELAT, université Laval. Photo SAV.

113. *Saint Isidore, le laboureur.*
Image polychrome de petit format. Fonds Villeneuve, CELAT, université Laval. Photo SAV.

114. a) *Le travail de saint Joseph.*
Image de petit format, en noir et blanc. Au verso, cette phrase: «Souvenir de Première Communion — Hélène». Fonds Villeneuve, CELAT, université Laval. Photo SAV.

b) «*St-Joseph, père nourricier de Jésus...*»
Image polychrome de petit format. Au verso, cette prière imprimée: «Ne rougissez pas de votre métier, /Humbles travailleurs dont la vie est/

dure, /Faites dignement votre tâche obscure: /Voyez le Très-Haut, pauvre char-/pentier». Fonds Villeneuve, CELAT, université Laval. Photo SAV.

115. *Quête dans une taverne.*
Le Frère Sauvageau quêtant dans une taverne. Membre de la communauté des religieux de Saint-Vincent-de-Paul, le Frère Sauvageau est une figure bien connue des gens de la ville de Québec puisqu'il a passé parmi eux sa vie à quêter, autant dans les bureaux de fonctionnaires, dans les industries, que dans les tavernes. Photo tirée du *National Home Monthly*, mars 1949. Reproduction photographique SAV.

116. *Le Frère Sauvageau en tournée de quête.*
Photo tirée du *National Home Monthly*, mars 1949. Reproduction photographique SAV.

117. *À La Tour.*
Le Frère Sauvageau pouvait recueillir certains soirs entre $250.00 et $1,000.00. Photo tirée du *National Home Monthly*, mars 1949. Reproduction photographique SAV.

118. *La charité dans les tavernes.*
Photo tirée du *National Home Monthly*, mars 1949. Reproduction photographique SAV.

119. *Le Père Frédéric.*
Image polychrome de petit format. Fonds Villeneuve, CELAT, université Laval. Photo SAV.

120. *Le Père Frédéric.*
Image de petit format, en noir et blanc. Fonds Villeneuve, CELAT, université Laval. Photo SAV.

121. a) *Le prodige du pont de glace.*
Image de petit format, en noir et blanc, illustrant la formation du pont de glace qui permit la construction d'une église sur les lieux du sanctuaire. Bien que le pont ait réellement existé, la participation du P. Frédéric à sa consolidation relève de la pure fiction. Fonds Villeneuve, CELAT, université Laval. Photo SAV.

b) *Le Père Frédéric et la statue miraculeuse.*
En compagnie du curé Luc Désilets et de Pierre Lacroix, Frédéric contemple la statue de Notre-Dame du Cap-de-la-Madeleine qui bouge les yeux. Dessin de L.-J. Dubois. Photo Studio Notre-Dame, Sanctuaire Notre-Dame du Cap-de-la-Madeleine.

c) *Le Père Frédéric et la fondation du sanctuaire.*
Image de petit format, en noir et blanc, contenant une relique du Père Frédéric (au-dessus du millésime 1888). Fonds Villeneuve, CELAT université Laval. Photo SAV.

122. *La «crypte-musée» du Père Frédéric.*
Petit feuillet publicitaire. Fonds Villeneuve, CELAT, université Laval. Photo SAV.

123. *Le Père Frédéric et Notre-Dame du Cap-de-la-Madeleine.*
Cette carte postale polychrome illustre les bâtiments que le P. Frédéric prit l'initiative de faire construire sur les lieux du sanctuaire. Fonds Villeneuve, CELAT, université Laval. Photo SAV.

124. *Le Père Frédéric revêtu de sa bure.*
Carte postale en noir et blanc. Fonds Villeneuve, CELAT, université Laval. Photo SAV.

125. *Le Père Frédéric et la traversée miraculeuse du Saint-Laurent.*
«Le Bon Père Frédéric traverse miraculeusement une partie du St-Laurent, le 15 mars 1893, en revenant de visiter une mourante à Bécancour.» Carte postale polychrome. Fonds Villeneuve, CELAT, université Laval. Photo SAV.

126. «*Le Bon Père Frédéric au jardin de Gethsémani*».
Image polychrome de petit format. Fonds Villeneuve, CELAT, université Laval. Photo SAV.

127. *Scènes de la vie du Père Frédéric.*
Carte postale polychrome reproduisant un tryptique de Franz Peter situé «à l'entrée de la Crypte-Musée»: il s'agit du *prodige des yeux* dont fut témoin Frédéric, de sa *prédication populaire* et du *premier couronnement de la statue* de la Vierge au Cap-de-la-Madeleine. Fonds Villeneuve, CELAT, université Laval. Photo SAV.

Orientation bibliographique

En préparant cette bibliographie, notre intention n'était pas de la rendre exhaustive. Au contraire, nous n'avons voulu que signaler au lecteur de cet ouvrage un certain nombre de livres où il serait susceptible de trouver ou de retrouver l'information relative aux sujets qui l'auraient intéressé. C'est pourquoi, aussi, nous avons fait en sorte que la bibliographie suive les grandes divisions du volume.

0. Les archives de la religion populaire et leurs synthèses.

Bouteiller, M., Loux, F. et Segalen, M. *Croyances et coutumes*. Paris, Éditions des Musées Nationaux, 1973, 64 p. (Coll. « Guides Ethnologiques », no 12).

Cox, Harvey. *La séduction de l'esprit. Bon et mauvais usage de la religion populaire*. Paris, Seuil, 1976, 313 p.

Désilets, A. et Laperrière, G., éd. *Recherche et religions populaires. Colloque international 1973*. Montréal, Éditions Bellarmin, 1976, 204 p. (Coll. « Cahiers de l'Institut Social Populaire », no 11).

Desroches, H. et Séguy, J. *Introduction aux sciences humaines des religions*. Paris, Éditions Cujas, 1970, 281 p.

Dumont, F., Montminy, J.-P. et Stein, M., éd. *Le merveilleux. 11e Colloque sur les religions populaires, 1971*. Québec, P.U.L., 1973, 162 p. (Coll. « Histoire et sociologie de la culture », no 4).

« Ethno-sociologie des religions populaires ». Numéro spécial de la revue *Archives de Sciences sociales des religions*, tome 43, 2 vol., 1977, 319 p.

Foi populaire, foi savante. Paris, Cerf, 1976, 163 p.

Jacques, Pierre, sous la direction de, « Religion populaire, milieu naturel et cadre social ». Numéro spécial de la revue *Protée*, vol. V, printemps-automne 1976, 112 p.

Lacroix, B., sous la direction de, *Cahiers d'études des religions populaires*. Série de dix-huit cahiers (I-XVIII) ronéotypés qu'a fait paraître, de 1968 à 1973, le Centre d'études des religions populaires, Institut d'études médiévales, Université de Montréal.

Lacroix, B. et Boglioni, P., éd. *Les religions populaires. Colloque international 1970*. Québec, P.U.L., 1972, VIII + 155 p. (Coll. « Histoire et sociologie de la culture », no 3).

Le Bras, Gabriel. *Études de sociologie religieuse*. T. I: *Sociologie de la pratique religieuse dans les campagnes françaises*. T. II: *De la morphologie à la typologie*. Paris, P.U.F., 1955-1956. (Coll. «Bibliothèque de sociologie contemporaine»).

Maître, Jacques. «La religion populaire». *Encyclopaedia Universalis*, Paris, 1972, vol. 14, 35-36.

Maître, Jacques. «Religion populaire et populations religieuses», *Cahiers Internationaux de Sociologie*, vol. XXVIII, juillet-décembre 1959. Presses Universitaires de France, 1960, 95-120.

Meslin, Michel. *Pour une science des religions*. Paris, Seuil, 1973, 269 p.

Montminy, J.-P. et Crysdale, S. *La religion au Canada, bibliographie annotée (1945-1970). Religion in Canada, annotated inventory (1945-1972)*. Québec, P.U.L., 1974, 189 p. (Coll. «Histoire et sociologie de la culture», no 8).

Plongeron, B., sous la direction de. *La religion populaire dans l'Occident chrétien: approches historiques*. Paris, Beauchesne, 1976, 237 p.

Plongeron, B. et Pannet, R. *Le christianisme populaire. Les dossiers de l'histoire*. Paris, Le Centurion, 1976, 315 p.

«Que le peuple vive en paix: «Religion populaire» et religion du peuple». Numéro spécial du bulletin *Pro Mundi Vita*, n° 61, juillet 1976.

«Religion populaire des Québécois». Numéro thématique de la revue *Communauté chrétienne*, vol. 16, no 96, novembre-décembre 1977.

«Religion populaire et réforme liturgique». Numéro spécial de la revue *La Maison-Dieu*, no 122, 1975, 123 p.

Simard, Jean. «Croix de chemins et frontières culturelles des francophones au Québec et au Canada», *Mélanges en l'honneur de Luc Lacourcière*, Montréal, Leméac, 1978, 393-412.

Van Gennep, Arnold. *Culte populaire des saints en Savoie*. Paris, G.P. Maisonneuve et Larose, 1973, 217 p. (Coll. «Archives d'ethnologie française», no 3).

Voisine, Nive. «Histoire religieuse et folklore: quelques réflexions», *Mélanges en l'honneur de Luc Lacourcière*, Montréal, Leméac, 1978, 431-435.

1. Chez les Beaucerons

1.1 *Calvaires et croix de chemin*

Barbeau, Marius. «Crucifix du Québec». *Vie des arts*, no 28, automne 1962, 34-38.

Bouchard, René. «La coutume du «mois de Marie» à East-Broughton Station (Beauce)», *Mélanges en l'honneur de Luc Lacourcière*, Montréal, Leméac, 1978, 91-112.

Carpentier, Paul. «La survivance des croix de chemin: mythe ou réalité?». *Culture et Tradition*, vol. 1, 1976, 43-53.

Filteau, Jean-Claude. «Une inscription hébraïque au cimetière de Cap-Rouge». *Laval Théologique Philosophique*. Québec, P.U.L., février 1974, 9-20.

Genest, Bernard. «Croix votives du comté de Portneuf». *Revue de l'Université Laurentienne*, vol. VIII, no 2, février 1976, 69-72.

Jacob, Paul. «Croix de chemin et dévotions populaires dans la Beauce». *SCHEC*, vol. 43, 1976, 15-33.

Massicotte, Édouard-Zotique. «Nos croix de chemins». *Bulletin des Recherches historiques*, vol. 29 (1923): 125-127, 142-143, 229-231, 269-270, 350-352; vol. 30 (1924): 55-56, 233-234.

Porter, John R. et L. Désy. *Calvaires et croix de chemins du Québec*. Montréal, Hurtubise HMH, 1973, 145 p. (Coll. «Ethnologie québécoise», n° 3).

Simard, Jean. «Témoins d'un passé de foi». *Perspectives* (Le Soleil), 17 juin 1972, 20-22.

———, «Cultes liturgiques et dévotions populaires dans les comtés de Portneuf et du Lac Saint-Jean». *SCHEC*, vol. 43, 1976, 5-14.

Thoby, Paul. *Le Crucifix, des origines au Concile de Trente*. (Étude iconographique). Nantes, Bellanger, 1959, 287 p. CLXXXIX pl.

1.2 *La mystique des Beaucerons*

Dupont, Jean-Claude. *Le légendaire de la Beauce*. Québec, Garneau, 1974, 149 p. (1ère éd.), Montréal, Leméac, 1978, 197 p.

Ferron, M. et Cliche, R. *Quand le peuple fait la loi*. Montréal, Hurtubise HMH, 1972, 157 p.

Ferron, M., avec la participation de Cliche, R. *Les Beaucerons, ces insoumis*. Montréal, Hurtubise HMH, 1974, 174 p.

Jacob, Paul. *Les revenants de la Beauce*. Montréal, Le Boréal Express, 1977, 159 p.

Lorent, Maurice. *Le parler populaire de la Beauce*. Montréal, Leméac, 1977, 224 p.

Provost, Honorius. *Sainte-Marie de la Nouvelle-Beauce. Histoire religieuse*. Québec, Société historique de la Chaudière, 1967, 625 p.

1.3 *Portrait d'un curé de campagne*

Arsenault, Antonio. *Centenaire de St-Séverin (1872-1972)*.

Arsenault, Ernest. *Les loisirs d'un curé de campagne*. Québec, Éditions Caritas, 1953, 365 p.

Chabot, Richard. *Le curé de campagne et la contestation locale au Québec (de 1791 aux troubles de 1837-38)*. Montréal, Hurtubise HMH, 1975, 242 p.

De Bonnault, Claude. «La vie religieuse dans les paroisses rurales canadiennes au XVIIIe siècle: les curés». *Bulletin des Recherches Historiques*, vol. 40 (1934), 645-675.

Litallien, Rolland. *Le prêtre québécois à la fin du XIXe siècle*. Montréal, Fides, 1970, 219 p. (Coll. «Histoire religieuse du Canada»).

Stryckman, Paul. *Les prêtres du Québec aujourd'hui*. Québec, université Laval, Centre de recherche en sociologie religieuse, 2 vol., 1971-1973, 478 p.

Tessier, Albert. *Souvenirs en vrac*. Québec, Le Boréal Express, 1975, 267 p. (Coll. « Témoins et témoignages »).

2. Autour des pèlerinages et des thaumaturges

2.1 *Les ex-voto marins et les dévotions à sainte Anne*

Bélanger, Georges. *La Bonne Sainte Anne au Canada et à Beaupré*. Québec, Imprimerie de l'Action Sociale Ltée, 1923, 228 p.

Boulizon, Guy. « Images et art religieux du peuple québécois ». *Communauté chrétienne*, vol. 16, no 96, novembre-décembre 1977, 596-601.

Charland, Paul-V. *Le culte de sainte Anne en Amérique ou Sainte-Anne de Beaupré et sa filiation dans le nouveau monde*. Étude extraite du second volume de *Les trois légendes de madame sainte Anne*. Lévis, Imprimerie Mercier et Cie, 1898, 142 p.

Cousin, Bernard. « Dévotion et société en Provence. Les ex-voto de Notre-Dame-de-Lumières ». *Ethnologie française*, tome 7, no 2, 1977, 121-142.

Doran-Jacques, Anne. « Le pèlerinage de ma tante Berthe ». *Communauté chrétienne*, vol. 16, no 96, novembre-décembre 1977, 584-590.

Gagné, L. et Asselin, J.-P. *Sainte-Anne de Beaupré. Trois cents ans de pèlerinage*. Sainte-Anne de Beaupré, 1971, 89 p.

Gagnon, François-Marc. *Premiers peintres de la Nouvelle-France*. T. II. Ministère des Affaires culturelles du Québec, 1976, 152 p. (Coll. « Civilisation du Québec », série « Arts et Métiers »).

Landry, Frédéric. *Capitaine des hauts fonds*. Québec, Garneau, 1973, 128 p.

Levack, D. *La Confrérie de Sainte-Anne à Québec. Tricentenaire 1657-1957*. Sainte-Anne de Beaupré, 1956, 201 p.

Rumilly, Robert. *Sainte Anne de Beaupré*. Paris, Flammarion, 1932, 187 p. (Coll. « Les Pèlerinages »).

2.2 *L'Oratoire Saint-Joseph et le Frère André*

Bouteiller, Marcelle. *Chamanisme et guérison magique*. Paris, P.U.F., 1950, 377 p.

Brault, Marie-Marthe. *Monsieur Armand, guérisseur*. Montréal, Parti-Pris, 1974, 155 p. (Coll. « Aspects », no 26).

Catta, Émile. *Le Frère André (1845-1937) et l'Oratoire Saint-Joseph du Mont-Royal*. Montréal et Paris, Fides, 1964, 1146 p.

Géraud, P. et alii. *Introduction à la compréhension psychosomatique*. Toulouse, Privat, 1970.

Lévi-Strauss, Claude. *Anthropologie structurale*. Paris, Plon, 1958, 452 p.

Mauss, Marcel. *Sociologie et anthropologie*. Paris, P.U.F., 1978 (1ère éd. 1950), 482 p. (Coll. « Sociologie d'aujourd'hui »).

Phabrey, Gille. *Le Portier de saint Joseph*. Montréal, Fides, 1958, 204 p.

2.3 *Le Sanctuaire de Notre-Dame du Cap-de-la-Madeleine*

Breton, P.-E. *Cap-de-la-Madeleine Cité Mystique de Marie*. Trois-Rivières, 1934, 213 p. (Coll. « Pages Trifluviennes », série A, no 20).

Cournoyer, Rosario. *Notre-Dame du Cap*. Québec, Éditions de La Falaise, 1961, 173 p.

D'Orléans, Jean. *Notre-Dame du Cap Messagère de Dieu*. Montréal, Fides, 1949, 207 p.

Dupront, Alphonse. « Tourisme et pèlerinage. Réflexions de psychologie collective », *Communications*, no 10, Paris, Seuil, 1967, 91-121.

[Joyal, Arthur]. *Deuxième Centenaire du sanctuaire national de Notre-Dame du Cap*, S.I., 1915, 77 p.

Morin, Hermann. *La Madone des Canadiens. 1 — Notre-Dame du Cap dans son histoire*. S.1., Les Éditions de Notre-Dame du Cap, 1952, 80 p. (*Coll.* « Messages marials »).

[Nadeau, Eugène]. *Notre-Dame du Cap Reine du Très Saint Rosaire : son histoire, ses prodiges, ses foules*. Cap-de-la-Madeleine, 1947, 78 p.

Panneton, Georges. *Chronique Mariale; Trois-Rivière, Cap-de-la-Madeleine*. Trois-Rivières, Le Bien Public, 1955, 117 p. (Coll. « L'Histoire régionale », no 17).

Précis Historique de l'événement merveilleux du « Pont des Chapelets » arrivé en 1879 au Cap-de-la-Madeleine et Notes explicatives sur le Monument Commémoratif de ce prodige érigé et bénit en 1924. Trois-Rivières, 1924, 16 p.

Roussel, Raymond. *Les Pèlerinages*. Paris, P.U.F., 1972, 127 p. (Coll. « Que sais-je ? », no 666).

Shaw, Jim. *Notre-Dame du Cap*. Cap-de-la-Madeleine, Les Éditions de Notre-Dame du Cap, 1954, 188 p.

3. Du bien et du mal

3.1 *Les croisades de tempérance*

Chiniquy. Mémoires de Charles Chiniquy. Trois-Rivières, Les Éditions Beauport, s.d., 508 p.

Hugolin, R.P., o.f.m. *Bibliographie des brochures concernant la tempérance Livres, Brochures, Journaux, Revues, Feuilles, cartes, etc., imprimés à Québec et à Lévis depuis l'établissement de l'imprimerie [1764] jusqu'à 1910*. Québec, Imprimerie de « l'Événement », 1911, 165 p. Tiré à part du *Bulletin des Recherches Historiques*.

———, *Inventaire des travaux, livres, brochures, feuillets et autres écrits concernant la tempérance publiés par les Pères Franciscains du Canada de 1906 à 1915*. Montréal, s.é., 1915, 50 p.

———, *Premier Congrès de Tempérance de Montréal (Partie Ouest) tenu à Ville St-Pierre le 25 octobre 1909*. Montréal, Imprimerie des Souds-Muets, 1909, 142 p.

———, *Premier Congrès de tempérance du diocèse de Québec (1910)*. Compte rendu. Québec, Secrétariat des Œuvres de l'Action Sociale Catholique, 1911, 798 p.

Lévy-Beaulieu, Victor. *Manuel de la petite littérature du Québec*. Montréal, L'Aurore, 1974, 268 p.

Plante, Herman. *L'Église catholique au Canada, 1604-1886*. Trois-Rivières, Le Bien Public, 1970, 515 p.

Roy, Paul-Arsène. *Croisade de tempérance*. Québec, Imprimerie de l'Action Sociale limitée, 1926, XVI, 344 p.

Statuts et règlements de la société de tempérance de la croix noire (diocèse de Québec). Québec, Imprimerie de l'Action Sociale Ltée, 1911, VI + 42 p.

Trudel, Marcel. *Chiniquy*. Trois-Rivières, Le Bien Public, 1955, XXXVIII + 339 p.

Voisine, Nive et alii. *Histoire de l'Église Catholique au Québec (1608-1970)*. Montréal, Fides, 1971, 111 p.

———, « Petite histoire de la religion du peuple québécois ». *Communauté chrétienne*, vol. 16, no 96, novembre-décembre 1977, 539-549.

3.2 *Le Diable*

Boivin, Aurélien. « De quelques êtres surnaturels dans le conte littéraire québécois au XIXe siècle », *Nord*, no 7: contes et légendes, automne 1977, 9-40.

Chaput, Bernard. « Réflexion sur l'étude des religions populaires et l'histoire. L'exemple de la possession démoniaque dans les Cantons de l'Est », dans A. Désilets et G. Laperrière, *op. cit.*, 143 ss.

Du Berger, Jean. *Les légendes d'Amérique Française*. Québec, P.U.L., 1973, 300 p. (Coll. « Dossiers de documentation des Archives de Folklore de l'Université Laval », no 3).

———, « Le Diable dans les légendes du Canada français », *Revue de l'Université Laurentienne*, vol. VIII, no 2, février 1976, 7-20.

———, « Marius Barbeau: le conte et le conteur », *Études françaises*, 12/1-2, 61-70.

———, « Bilan des études de folkloristes du Canada français dans le domaine de la mentalité religieuse populaire », dans Lacroix et Boglioni, *op. cit.*, 113 ss.

Hamelin, Louis-Edmond. « Le forgeron, le diable et les retraites fermées », *Mélanges en l'honneur de Luc Lacourcière*, Montréal, Leméac, 231-238.

Lacourcière, Luc. « Un pacte avec le diable (conte-type 361) », *Les Cahiers des Dix*, no 37, 1972, 275-294.

Richard, Réginald. « Morphologie du religieux dans un corpus de contes québécois », *Les cahiers du CRSR*, Québec, université Laval, Centre de recherche en sociologie religieuse, vol. 1, 1977, 103-132.

Seignolle, Claude. *Le Diable dans la tradition populaire*. Paris, G.P. Maisonneuve, 1959, 181 p.

———, *Les Évangiles du Diable*. Paris, Nouvelle office d'Édition, 1967 (1ère éd. 1963), 381 p.

Van Gennep, Arnold. *La formation des légendes*. Paris, Flammarion, 1920, 326 p.

4. Voir, toucher et entendre

4.1 *L'imagerie religieuse et les objets de piété*

Champfleury. *Histoire de l'Imagerie populaire*. Paris, Dentu, 1886, XLVIII + 286 p.

De Keyser, Édouard. «Les drapelets de pèlerinage», *Le Vieux Papier*, Paris, janvier 1958, fasc. 182, 13-18.

Duchartre, P.-L. et Saulnier, R. *L'Imagerie Populaire. Les images de toutes les provinces françaises du XVe siècle au Second Empire. Les complaintes, contes, chansons, légendes qui ont inspiré les imagiers*. Paris, Librairie de France, 1925, 447 p.

Ferrand, L. et Magnac, E. «Guide bibliographique de l'imagerie populaire». *Le Vieux Papier*, Paris, octobre 1956, fasc. 177, 287-326.

Gagnon, François-Marc. *L'enseignement par l'image*. Montréal, Bellarmin, 1975, 141 p. + 31 pl.

Gravel, Pierre. *Le sens commun; maximes et réflexions*. Thetford-Mines, Le Mégantic, 1927, 338 p.

———, *Courage et labeur*. Boischatel, 1949, 97 p.

———, «*Sa parole est ardente*». Québec, 1969, 188 p.

Lessard, Pierre. «L'imagerie de dévotion populaire de petit format», *Culture et tradition*, vol. 2, 1977, 21-34.

Moreux, Colette. *Fin d'une religion? Monographie d'une paroisse canadienne-française*. Montréal, P.U.M., 1969, XLI + 485 p.

Réau, Louis. *Iconographie de l'Art chrétien*. Paris, P.U.F., 1955-1959, 6 vol.

Saintyves, P. «L'imagerie religieuse ou les Images de Sainteté», *Revue de Folklore Français*, Paris, Librairie Stande, 1930, 1ère année, nos 5-6, 207-218.

Simard, Jean. *Une iconographie du clergé français au XVIIe siècle. Les dévotions de l'École française et les sources de l'imagerie religieuse en France et au Québec*. Québec, Les Presses de l'université Laval, 1976, XXIII + 264 p. (Coll. Travaux du Laboratoire d'Histoire religieuse de l'Université Laval-2).

Toinet, Paul. «Philosophie de la petite imagerie dévote», *Le Vieux Papier*, Paris, janvier 1967, tome XXV, fasc. 220, 1-32.

4.2 *Prières et humour populaires*

Bonnet, Serge. *Prières secrètes des Français d'aujourd'hui*. Paris, Cerf, 1976, 287 p.

Dupont, Jean-Claude. *Contribution à l'ethnographie des Côtes de Terre-Neuve*. Québec, Centre d'Études Nordiques, université Laval, 1968, 165 p.

———, *Les traditions de l'artisan du fer*. Québec, université Laval, thèse, 1974, 800 p.

———, *Héritage d'Acadie*, Montréal, Leméac, 1977, 376 p.

Grenon, Hector. *Us et coutumes du Québec*. Montréal, La Presse, 1974, 334 p.

«La prière populaire». Numéro spécial de la revue *La Vie spirituelle*, 57e année, tome 129, mars-avril 1975.

Séguin, Robert-Lionel, éd. *Récits de forestiers*. Montréal, P.U.Q., 1976, 241 p. (Coll. «Les archives d'ethnologie», no 1).

5. Retour au moyen âge

5.1 *Les frères mendiants*

Daunais, M. *Le quêteux du village et le quêteux qui vient de loin dans notre société canadienne-française*. Université Laval, CELAT, mémoire de licence, 1967.

Éthier, Pauline. «Le Quêteux comme «jeteux de sorts» et agent de la tradition orale au Canada français», *Revue de l'Université Laurentienne*, vol. VIII, no 2, février 1976, 73-83.

5.2 *Le Bon Père Frédéric*

Daunais, R.P. Mathieu-M. *L'Apostolat du Père Frédéric*. Trois-Rivières, Couvent des Franciscains, 1929, 160 p.

———, *Le Père Frédéric et le Cap-de-la-Madeleine*. Trois-Rivières, Couvent des Franciscains, 1927, 143 p.

———, *La Vie illustrée du Bon Père Frédéric Jansoone*. Trois-Rivières, 1934, n.p.

Hugolin, R.P., o.f.m. *Les manuscrits du R.P. Frédéric Jansoone, o.f.m. Description et analyse*. 1935, 71 p.

———, *Bibliographie et iconographie du Serviteur de Dieu, le R.P. Frédéric Jansoone, o.f.m. (1838-1916)*. Québec, Imprimerie Franciscaine Missionnaire, 1932, 62 p.

Monel, Léon. *Un grand moine français, le R.P. Frédéric Jansoone*. Paris, Éditions internationales, 1951, 188 p.

Liste des collaborateurs

ARSENAULT, Antonio

Connu dans la région de Québec pour ses prises de positions vigoureuses, par le biais des journaux, sur les sujets qui lui tiennent à cœur, l'abbé Arsenault est aussi le curé de Saint-Séverin de Beauce, dont il a rédigé une monographie très appréciée de ses paroissiens. C'est un témoin privilégié de la religion vécue à la campagne.

BOUCHARD, René

Membre du « Groupe de recherche sur la religion populaire » de l'université Laval, René Bouchard prépare, sous la direction de Jean Simard, une thèse de maîtrise sur les « miraculés » du sanctuaire de Notre-Dame du Cap-de-la-Madeleine. Il a déjà publié une *Filmographie de Mgr Albert Tessier*, « Corbin, André (forgeron) », « Rodolphe Duguay (1891-1973), graveur des traditions populaires à Nicolet ». Paraîtra sous peu également un manuscrit préparé avec Bernard Genest sur *Les Croix de fer du cimetière de Saint-Rémi de Napierville*.

BRAULT, Marie-Marthe

Spécialiste de l'anthropologie et de la psychologie sociale, Marie-Marthe Brault a produit une thèse, qualifiée de « précieuse » par Jean-Charles Falardeau, sur *l'Oratoire Saint-Joseph-du-Mont-Royal, étude d'un sanctuaire de pèlerinage catholique*. Elle s'est intéressée particulièrement aux « miraculés » de saint Joseph et à ses singuliers guérisseurs, dont elle brosse un portrait dans son livre *Monsieur Armand, guérisseur*. Pour le compte de Radio-Canada, elle a aussi préparé plusieurs émissions documentaires sur l'alimentation et la magie à travers l'histoire.

DU BERGER, Jean

Membre du CELAT, professeur de littérature orale au Département d'histoire de l'université Laval, Jean Du Berger s'est surtout penché sur l'étude des légendes dont il a fait une compilation importante, *Les légendes d'Amérique française*. Il est à mettre au point une thèse de doctorat sur la légende du « Diable beau danseur » dont il a constitué un corpus comptant plus de 500 versions. Sur le diable même, on lui doit un article très remarqué, «Le Diable dans les légendes du Canada français». Il dirige également un projet portant sur «Le théâtre populaire des salles paroissiales».

DUPONT, Jean-Claude

Familier des communautés francophones du Canada, Jean-Claude Dupont a livré sur celles-ci des études nombreuses et diversifiées: *Contribution à l'ethnographie des Côtes de Terre-Neuve*, *Héritage d'Acadie*, *Le légendaire de la Beauce*, *Contes de bûcherons*, etc. Directeur du CELAT, il enseigne la technologie culturelle au Département d'histoire de l'université Laval. Il a écrit une thèse de doctorat, *Les traditions de l'artisan du fer*, qui est en voie de publication et que l'on considère dès à présent comme une pièce maîtresse sur le sujet. Il a également publié *Le sucre du pays*, *Le pain d'habitant*, *Le fromage de l'Île d'Orléans*.

FILTEAU, Jean-Claude

Professeur d'écriture sainte à la Faculté de théologie de l'université Laval, membre du «Groupe de recherche sur la religion populaire», diacre marié et vicaire à Saint-Jean-Chrysostome, Jean-Claude Filteau participe activement à la vie religieuse de sa paroisse. Il a déjà eu l'occasion de vivre l'expérience de la quête à l'époque de son noviciat et de son scolasticat au sein de la communauté des religieux de Saint-Vincent-de-Paul. Il a écrit récemment un article sur un calvaire de Lauréat Vallières, «Une inscription hébraïque au cimetière de Cap-Rouge».

GAGNON, Gérard

Après avoir été présent pendant huit ans sur le marché du travail, Gérard Gagnon entre au scolasticat des Frères de Saint-Vincent-de-Paul où il fait l'apprentissage de la charité d'autrui, d'une part comme quêteur, puisqu'il reprend la route chaque mercredi afin de solliciter l'aide des gens, d'autre part comme administrateur, fonction qu'il assume depuis vingt-cinq ans afin de subvenir aux besoins de sa communauté. Il a été ainsi amené à fréquenter régulièrement les milieux populaires de la ville de Québec et à vivre une expérience religieuse exceptionnelle.

GRAVEL, Pierre

Curé de Boischatel pendant une trentaine d'années, Pierre Gravel fut un nationaliste convaincu et reconnu, en même temps qu'une personnalité religieuse inoubliable. Très engagé dans les luttes syndicales, notamment dans celles de Thetford-Mines, il ne s'est jamais gêné pour défendre ce qui lui semblait être le bon droit et il a employé à cette fin aussi bien la parole que l'écrit. Prédicateur populaire, il a élargi l'audience de ses sermons en fondant des journaux et en écrivant plusieurs livres. Parmi ceux-ci, *Le sens commun; maximes et réflexions*, *Courage et labeur*, «*Sa parole est ardente*»... Il est décédé le 29 août 1977 à l'âge de 77 ans.

GUILBAULT, Nicole

Professeur de littérature au CEGEP François-Xavier-Garneau, Nicole Guilbault s'est préoccupée particulièrement de la littérature orale. Aussi a-t-elle signé plusieurs articles et comptes rendus pour la revue *Québec français*, entre autres « Les Vieux m'ont conté », « Chansons de Shippagan », « Légendes canadiennes illustrées », « Lieux légendaires du Québec ». Sous la direction de Jean Simard, elle prépare une thèse de maîtrise sur *Henri Julien, illustrateur des traditions populaires*.

JACOB, Paul

Beauceron de naissance, Paul Jacob s'est passionné pour l'étude de sa région. Ses travaux ont porté notamment sur les régionalismes religieux. Il a ainsi publié un livre sur *Les revenants de la Beauce* et signé un article sur les « Croix de chemin et dévotions populaires dans la Beauce », ainsi que sur « Jean-Baptiste Béland, homme-spectacle ». Il a collaboré assidûment avec le Père Germain Lemieux à l'établissement et à la révision des textes de la série *Les vieux m'ont conté*.

LEGAULT, Emile

Animateur radiophonique d'une grande qualité, le Père Emile Legault est connu à la grandeur du Québec pour les émissions religieuses auxquelles il a participé. Dans ce domaine, on ne compte plus les sujets qu'il a abordés, tant leur diversité est grande, non plus que les spécialistes qu'il a interviewés pour le plus grand profit des auditeurs. Les livres qu'il a publiés rendent compte d'une carrière extraordinairement féconde ainsi que d'un talent hors pair d'animateur culturel. Pour mémoire, voici quelques titres: *Confidences*, *Le grand attentif; jeu scénique à la gloire de saint Joseph*, *L'Église ne fait que commencer*, *Le Prêtre*, *Le temps s'ouvre*...

LESSARD, Pierre

Pierre Lessard a été responsable du classement de la collection Villeneuve, qui comprend environ 35,000 petites images, 25,000 médailles, des centaines de scapulaires, de chapelets, de reliquaires et d'objets de toutes sortes. Attiré surtout par les petites images, il en a proposé une classification dans son article sur « L'imagerie de dévotion populaire de petit format ». Continuant sur cette lancée, il a élaboré, sous la direction de Jean Simard, une thèse sur le même sujet, *L'image de dévotion populaire de petit format et son utilisation au Québec*. Pierre Lessard fait partie du « Groupe de recherche sur la religion populaire ».

MILOT, Jocelyne

Ancienne journaliste rattachée au quotidien *Le Nouvelliste* de Trois-Rivières, où récemment encore elle faisait paraître une série d'articles sur les « Fêtes d'antan », Jocelyne Milot s'est spécialisée en littérature et ethnologie québécoises à l'université Laval. Elle a complété depuis, sous la direction de Jean Simard, une thèse de maîtrise qui porte sur l'*Ethnographie de la dévotion à sainte Anne*.

SIMARD, Jean

Considéré, selon les propres termes du Père Benoît Lacroix, comme « un des pionniers de l'iconographie religieuse comparée au Québec », Jean Simard a produit une étude éclairante sur notre imagerie religieuse traditionnelle, *Une iconographie du clergé français au XVIIe siècle. Les dévotions de l'École française et les sources de l'imagerie religieuse en France et au Québec*. Il a fondé le « Groupe de recherche sur la religion populaire » et mis en train plusieurs projets d'envergure, comme « Le corpus des croix de chemin du Canada français » qu'il vient de terminer, et dont on peut lire une étude préliminaire dans son article sur les « Cultes liturgiques et dévotions populaires dans les comtés de Portneuf et du Lac-Saint-Jean ». Il enseigne l'art et la religion populaires au Département d'histoire de l'université Laval et il est membre du CELAT.

VOISINE, Nive

Nive Voisine s'est intéressé de très près à la vie, à la carrière et à l'époque de Mgr Laflèche, sur lequel il a accumulé quantité de notes en vue de rédiger sa biographie. Spécialiste de l'histoire religieuse du Canada français, il a déjà beaucoup écrit sur le sujet. D'une bibliographie abondante, extrayons les titres suivants: *Histoire de l'Église catholique au Québec (1608-1970)*, « Petite histoire de la religion du peuple québécois ». En plus de ses cours sur l'Église québécoise, qu'il dispense au Département d'histoire de l'université Laval, il collabore à de nombreuses publications périodiques, à la fois comme animateur (*Société canadienne d'histoire de l'Église catholique*) et auteur de comptes rendus critiques (*Lettres québécoises*).

Index des noms cités

M

W

Y

Cahiers du Québec

1
Champ Libre 1:
Cinéma, Idéologie, Politique
(en collaboration)
Coll. Cinéma

2
Champ Libre 2:
La critique en question
(en collaboration)
Coll. Cinéma

3
Joseph Marmette
Le Chevalier de Mornac
présentation par:
Madeleine Ducrocq-Poirier
Coll. Textes et Documents littéraires

4
Patrice Lacombe
La terre paternelle
présentation par:
André Vanasse
Coll. Textes et Documents littéraires

5
Fernand Ouellet
Eléments d'histoire sociale du Bas-Canada
Coll. Histoire

6
Claude Racine
L'anticléricalisme dans le roman québécois 1940-1965
Coll. Littérature

7
Ethnologie québécoise 1
(en collaboration)
Coll. Ethnologie

8
Pamphile Le May
Picounoc le Maudit
présentation par:
Anne Gagnon
Coll. Textes et Documents littéraires

9
Yvan Lamonde
Historiographie de la philosophie au Québec 1853-1971
Coll. Philosophie

10
L'homme et l'hiver en Nouvelle-France
présentation par:
Pierre Carle
et Jean Louis Minel
Coll. Documents d'histoire

11
Culture et langage
(en collaboration)
Coll. Philosophie

12
Conrad Laforte
La chanson folklorique et les écrivains du XIXe siècle, en France et au Québec
Coll. Ethnologie

13
L'Hôtel-Dieu de Montréal
(en collaboration)
Coll. Histoire

14
Georges Boucher de Boucherville
Une de perdue, deux de trouvées
présentation par:
Réginald Hamel
Coll. Textes et Documents littéraires

15
John R. Porter et
Léopold Désy
Calvaires et croix de chemins du Québec
Coll. Ethnologie

16
Maurice Emond
Yves Thériault et le combat de l'homme
Coll. Littérature

17
Jean-Louis Roy
Edouard-Raymond Fabre, libraire et patriote canadien 1799-1854
Coll. Histoire

18
Louis-Edmond Hamelin
Nordicité canadienne
Coll. Géographie

19
J.P. Tardivel
Pour la patrie
présentation par:
John Hare
Coll. Textes et Documents littéraires

20
Richard Chabot
Le curé de campagne et la contestation locale au Québec de 1791 aux troubles de 1837-38
Coll. Histoire

21
Roland Brunet
Une école sans diplôme pour une éducation permanente
Coll. Psycho pédagogie

22
Le processus électoral au Québec
(en collaboration)
Coll. Science politique

23
Partis politiques au Québec
(en collaboration)
Coll. Science politique

24
Raymond Montpetit
Comment parler de la littérature
Coll. Philosophie

25
A. Gérin-Lajoie
Jean Rivard le défricheur
suivie de *Jean Rivard économiste*
Postface de
René Dionne
Coll. Textes et Documents littéraires

26
Arsène Bessette
Le Débutant
Postface de
Madeleine
Ducrocq-Poirier
Coll. Textes et Documents littéraires

27
Gabriel Sagard
Le grand voyage du pays des Hurons
présentation par:
Marcel Trudel
Coll. Documents d'histoire

28
Véra Murray
Le Parti québécois
Coll. Science politique

29
André Bernard
Québec: élections 1976
Coll. Science politique

30
Yves Dostaler
Les infortunes du roman dans le Québec du XIXe siècle
Coll. Littérature

31
Rossel Vien
Radio française dans l'ouest
Coll. Communications

32
Jacques Cartier
Voyages en Nouvelle-France
Texte remis en français moderne par
Robert Lahaise et
Marie Couturier
avec introduction et notes
Coll. Documents d'histoire

33
Jean-Pierre Boucher
Instantanés de la condition québécoise
Coll. Littérature

34
Denis Bouchard
Une lecture d'Anne Hébert
La recherche d'une mythologie
Coll. Littérature

35
P. Roy Wilson
Les belles vieilles demeures du Québec
Préface de
Jean Palardy
Coll. Beaux-Arts

36
Habitation rurale au Québec
(en collaboration)
Coll. Ethnologie

37
Laurent Mailhot
Anthologie d'Arthur Buies
Coll. Textes et Documents littéraires

38
Edmond Orban
Le Conseil nordique: un modèle de Souveraineté-Association?
Coll. Science politique

39
Christian Morissonneau
La Terre promise: Le mythe du Nord québécois
Coll. Ethnologie

40
Dorval Brunelle
La désillusion tranquille
Coll. Sociologie

41
Nadia F. Eid
Le clergé et le pouvoir politique au Québec
Coll. Histoire

42
Marcel Rioux
Essai de sociologie critique
Coll. Sociologie

43
Gérard Bessette
Mes romans et moi
Coll. Littérature

44
John Hare
Anthologie de la poésie québécoise du XIXe siècle (1790-1890)
Coll. Textes et Documents littéraires

45
Robert Major
Parti pris: idéologies et littérature
Coll. Littérature

Achevé d'imprimer à Montmagny
par les travailleurs des ateliers Marquis Limitée
le 20 avril 1979